NOIR DEHORS

DU MÊME AUTEUR

BIG, Nil Éditions, 1997 ; « J'ai lu », 1998.
GABRIEL, Nil Éditions, 1999 ; « J'ai lu », 2002.
OÙ JE SUIS, Grasset, 2001.
FERDINAND ET LES ICONOCLASTES, Grasset, 2003.

VALÉRIE TONG CUONG

NOIR DEHORS

roman

BERNARD GRASSET
PARIS

A Eric

« Tous ceux qui avaient à mourir sont morts. Ceux qui croyaient une chose, et puis ceux qui croyaient le contraire – même ceux qui ne croyaient rien et qui se sont trouvés dans l'histoire sans y rien comprendre. Morts pareils, tous, bien raides, bien inutiles, bien pourris. Et ceux qui vivent encore vont commencer tout doucement à les oublier et à confondre leurs noms. C'est fini. »

Jean ANOUILH, *Antigone.*

Naomi I

Je suis sortie sur le seuil. Des gouttes d'une eau sale s'écoulaient du climatiseur accroché à l'étage et glissaient sur mon front.

Je me suis écartée. D'ici, on ne voyait pas à plus de trente mètres : les bâtiments gris et trapus masquaient entièrement l'horizon. On en parlait souvent, de l'horizon, avec Bijou. On supposait qu'ailleurs les choses étaient différentes. On pariait qu'il y avait des plantes vertes, des enfants en vêtements colorés, des posters de chanteurs à la mode derrière les baies vitrées.

— Imagine un peu, disait Bijou, imagine que les immeubles soient roses de l'autre côté de la rue.

Elle semblait si déterminée dans ses suppositions, parfois je la soupçonnais de raconter

11

des souvenirs d'enfance – au moins elle en avait, c'était un point de supériorité indiscutable.

Je me suis assise pour en fumer une en fermant les yeux. Comme si j'allais entendre des bruits vivants, une dispute conjugale, du verre brisé. Mais il était à peine quinze heures trente et il n'y avait rien à espérer, à part peut-être le pas lourd de Gecko qui allait bientôt débouler en gueulant comme un porc. Qu'on fume, il était pour, mais qu'on ait l'esprit vagabond, ça lui plaisait pas trop.

Lentement, j'ai aspiré. J'étais en sueur mais j'avais froid, alors je suis revenue sous les gouttes du climatiseur. J'ai commencé à aimer ça, l'odeur âcre, la couleur jaune, le tracé tiède qu'elles laissaient sur ma peau, léchant les grains de beauté, changeant de forme pour se frayer un chemin sur mes avant-bras. J'ai pensé que moi aussi, j'aimerais glisser à travers la grille rouillée de l'entrée, m'arranger avec tous les obstacles. Mais au fond, pour quoi faire ?

— Regarde-toi, disait Bijou, tes membres de chat affamé, tes cheveux blond filasse, tes yeux gonflés, tellement rougis par tout ce que tu avales qu'on oublie qu'ils sont bleus.

Elle répétait ça d'un ton désolé, « Quel gâchis mon bébé, quel travail, tu n'aurais jamais dû arriver là ».

Et puis elle caressait ma tête : elle savait bien que je n'avais rien choisi.

En tendant l'oreille, j'ai réussi à capturer le son du téléviseur. Gecko était probablement affalé devant son écran. Si j'avais de la chance, si le programme l'intéressait assez, il me laisserait tranquille jusqu'à l'arrivée des premiers clients, vers seize heures. Une autre possibilité, c'était qu'il préfère s'occuper de Bijou, mais ça je ne pouvais pas le souhaiter, car quoique je pense avoir un trou à la place du cœur, un emplacement bien découpé, net, traversé au mieux par un courant d'air froid, j'avais du sentiment pour elle.

A cette heure-ci, elle était en pleins préparatifs : Bijou consacrait l'essentiel de son temps libre à se maquiller, surtout les yeux, à cause du mascara. Là-dessus, elle avait sa théorie : « Du mascara mal posé, bébé, c'est le comble de la vulgarité. Tu peux porter la mini avec des résilles rouges et un gloss épais à patiner dessus, si tu fais pas de paquets entre les cils, tu seras toujours une princesse. »

J'avais souvent envie de lui demander quel genre de princesse on pouvait être, elle et moi ?

Mais je renonçais, pour ne pas la blesser.

L'excitation a gagné chaque particule de mon corps sans que ce soit agréable, plutôt un soulagement. Depuis quelque temps, j'avais perdu l'euphorie des premiers *high*. C'était bon, la décharge, l'adrénaline, l'orgasme, ça me comblait, ça me portait, mais juste après, beaucoup trop vite après, tout se précipitait, glissait, dégringolait, je sentais que les choses tournaient mal, qu'un désastre allait se produire, que ça ne pouvait pas se terminer autrement et voilà : c'est ce qui est arrivé ce jour-là. Mon cœur s'est accéléré brusquement, ma vision est devenue floue, mes jambes caoutchouteuses, j'ai entendu Gecko dévaler l'escalier et brailler : « Naomi, Naomi, nom de Dieu, sale pute ! », puis je suis tombée raide. Ses mains m'ont soulevée et j'ai aperçu la silhouette de Bijou penchée sur mon visage. Elle suppliait Gecko d'y aller en douceur, mais cette ordure l'a envoyée sur les roses.

— Dégage, qu'il a grogné, t'as peur que je l'abîme cette salope ?

D'un ton bravache, elle a répondu qu'il m'avait déjà assez abîmée, lui et les autres, et d'ailleurs qui m'avait refourgué cette daube, hein ?

Elle n'a pas terminé sa phrase. Il y a eu un bruit mat, la main épaisse de Gecko sur la pommette saillante de Bijou – je n'ai rien vu de précis mais ce bruit-là on le connaissait assez, toutes les deux. Elle a encaissé, comme toujours : le privilège de l'âge, c'est l'expression qu'elle emploie pour parler de son courage.

J'ai senti les doigts de Gecko tâter mon cou, puis mon front.

— Putain, elle est brûlante. Va me chercher Tony, Bijou. Bouge ton cul, bordel !

J'entendais sa voix loin derrière les battements de mon cœur, qui semblaient désormais emplir le vide de mon corps. Bam, Bam,

Bam. Puis d'autres sons improbables, roues d'un train qui crissent sur les rails, portières qui claquent, pluie sur mon crâne, souvenir de larmes ravalées.

Il devait être sacrément inquiet, Gecko. Le bar allait ouvrir ses portes d'une minute à l'autre, déjà qu'on était plus que deux depuis le départ de Sofia – je devrais dire, depuis sa disparition. Il lui faudrait se débrouiller avec Bijou, mais d'une part, il était très possible que Bijou ait l'œil marron d'ici un quart d'heure – or les clients n'aiment pas la marchandise endommagée, sauf lorsqu'ils sont à l'origine de la chose –, d'autre part, elle avait beaucoup moins de succès que moi.

Peut-être à cause des premières rides, ou bien à cause de sa méthode. Elle refusait d'absorber les petits cadeaux de Gecko, soi-disant qu'elle tenait à rester « bio », un argument qui laisse songeur quand on calcule le nombre de clopes et de bières qu'elle s'enfilait dans une demi-journée. Résultat, moi, j'étais pas « bio », mais toujours la forme quand il le fallait, à danser et tout le reste, la nuit entière si c'était nécessaire, et quand un client y allait un peu fort, ça me passait largement au-dessus du cerveau.

J'admets, entre deux c'était la déprime, et la grosse, mais avec Gecko les entre-deux n'étaient jamais très longs. Tandis que Bijou, elle, marquait la fatigue dès qu'on passait les trois heures du matin. Elle manquait d'enthousiasme au point qu'il lui était arrivé de repousser un client sous prétexte qu'il était trop ceci ou cela, et il fallait voir ce que ça lui avait coûté. Moi, sur les clients, j'ai toujours évité d'avoir un point de vue : un nez ou une queue, ça peut toujours changer d'aspect ou de taille, ça reste un nez ou une queue.

Tony est arrivé. Il a déplié et replié mes jambes, sans doute pour évaluer mon état, et c'était une très mauvaise idée, car mes cuisses se sont contractées à hurler, comme si chacun de mes muscles était devenu l'incarnation de la souffrance. Le plus étrange, c'est qu'aucun son ne sortait de ma bouche. Le cri que je poussais avait beau me déchirer le crâne, j'entendais les voix de Tony, Gecko et Bijou qui m'enjoignaient de prononcer un mot, qui réclamaient, « Réveille-toi Naomi ! » (ça, c'était Bijou), mais enfin, qui aurait bien pu dormir avec une telle douleur ?

Ils ont versé de l'eau sur mon visage. Bijou a suggéré qu'on appelle un docteur. Tony a refusé :

— Regarde, elle va déjà mieux.

— Déjà mieux ? a répliqué Bijou sur un ton indigné. Déjà mieux ? Et le sang qui coule de son nez, c'est quoi, la grippe en plein été ?

Gecko a ajouté en râlant :

— Si ça se trouve, cette conne, elle nous fait une hémorragie.

— Mais non, a dit Tony. Je te dis que ça va aller. Va chercher de l'eau.

Il se racontait que Tony avait étudié la médecine, autrefois. Moi, je n'y ai jamais cru. Sinon, pourquoi aurait-il atterri ici ? Est-ce qu'on finit à compter des billets dans un endroit pareil quand on a les moyens d'aller à l'Université ? Et puis, bien que je n'en aie jamais connu personnellement, j'avais vu des médecins dans des séries télévisées et même si tout ça, je sais bien que c'est romancé, ça ne collait pas du tout avec le physique de Tony : des tatouages tout autour du cou, une tête presque aussi large que ses épaules, quatre ou cinq dents en or, sans parler de son accent et de ses bottes en crocodile rouge.

Il n'avait pas tort, pourtant. Je respirais mieux. J'avais mal au ventre et aux mâchoires, mais mon corps retrouvait peu à peu son calme, malgré des spasmes irréguliers. Entre deux battements de paupières, le décor reprenait forme. Le ciel zébré de fumées grises, le mur d'enceinte, le bitume défoncé de la cour d'où s'échappaient quelques brins d'herbe miraculés, la silhouette fracturée de Bijou avec ses boucles décolorées, celle, puissante et sombre de Tony. Ils étaient agenouillés à côté de moi.

— Allez, calme-toi, a murmuré Tony en attrapant mon menton.

Il était glacé, effrayant.

— Quelle heure est-il ?

— Quatre heures, a répondu Bijou. Il faudrait qu'elle se repose.

Sans la quitter des yeux, Tony a tapoté mes joues d'un geste ferme, que j'ai interprété à ma façon.

— Je t'ai pas demandé ton avis, Bijou. Elle va se lever et se foutre au boulot.

Il allait sans doute développer mais c'est le moment que Gecko a choisi pour gueuler.

— Bordel de merde !

— Quoi encore, a marmonné Tony.

— Tout vient de péter ! Saloperie de disjoncteur !

Tony s'est relevé. Il fixait toujours Bijou d'un air suspicieux.

— Je vais voir. Je te préviens Bijou, je vous veux toutes les deux en salle dans moins de dix minutes. Et tu me rafraîchiras ça, a-t-il ajouté en me désignant. Faudrait faire un peu plus envie à la clientèle.

Bijou a attendu qu'il disparaisse dans l'escalier. Puis elle m'a caressé le front.

— Tu m'as fichu une de ces trouilles, bébé !

J'ai voulu articuler une réponse, mais c'était encore trop tôt.

— Enfoiré de Gecko. Même pas capable de refourguer une came propre. Si seulement tu pouvais arrêter avant que ça te bousille complètement.

Elle s'est tue. Peut-être réalisait-elle ce que sa phrase précédente contenait d'inutile. J'ai observé les empiècements bleus du ciel en espérant je ne sais quoi. Dans l'escalier, la voix de Tony a explosé. Il s'adressait à Gecko.

— C'est une putain de panne générale. Tout le quartier ! Et encore, si c'est pas toute la ville.

— Bon alors, je fais quoi ? a interrogé Gecko. Avec cette chaleur...

— File prendre de l'azote chez les Portoricains. Il en faut un paquet, une dizaine de glacières. Tu y mettras les bières. Je vais chercher les lampes à pétrole. Ça nous fera de l'exotisme, pas vrai les filles ? Et appelle des renforts. On va avoir besoin de deux ou trois gars en plus pour s'organiser.

Gecko est passé devant nous, la démarche lourde et le souffle bruyant. Il a traversé la cour sans un regard pour moi. Pour la première fois depuis mon arrivée, j'ai ressenti de la colère. Il se moquait bien que je crève de sa came pourrie. La seule chose qui pouvait l'ennuyer, c'était la réaction de Tony : sûr qu'il y aurait des comptes à rendre s'il flinguait le fonds de commerce. Gecko était un ancien toxico, ce qu'il y a de pire selon Bijou. Il avait décroché par hasard après un accident stupide qui l'avait cloué plusieurs mois sur un lit d'hôpital, le temps de réparer ses fractures. Depuis, il se concentrait sur mon cas et ça le faisait jouir de me sentir sous sa botte, il aimait que je mendie, « S'il te plaît Gecko, donne-moi quelque chose », il s'amusait, il ordonnait. Et moi ? Bien sûr, j'exécutais.

Le pourceau a atteint la grille, s'est retourné et nous a observées un instant. Puis il a ôté le cadenas et la chaîne avant de disparaître.

— Il a laissé ouvert ! a commenté Bijou, sidérée.

J'ai bougé mes épaules.

— Naomi, a murmuré Bijou. Naomi, c'est maintenant !

Elle avait un œil si tendre : quelque chose de chaud m'a enveloppée aussitôt. Quelque chose de neuf, d'imprévu. Une couverture de laine sur un nouveau-né.

Elle m'a aidée à me lever et on a longé le mur en silence. Mes jambes tremblaient, mon ventre, le sang dans mes veines, on marchait le plus vite possible. Bijou serrait ma main à m'en briser les os – sa peau froide de peur sous la canicule. Il a fallu un siècle pour atteindre la grille. A chaque seconde Gecko ou Tony, ou bien un autre encore allait sûrement surgir, nous saisir par les cheveux, nous traîner à travers la cour sur le ciment bosselé et nous cogner jusqu'au trou noir.

— Regarde ça, a fait Bijou.

Le coin de la rue était à quelques pas. Une rue rectiligne, bordée d'entrepôts massifs. Des gens allaient et venaient en tous sens, se hélaient, certains portaient des pains de glace, d'autres des sacs débordant de provisions.

— Écoute, je sais que c'est difficile, mais on va devoir accélérer.

Je n'étais pas vaillante. Les traces de sang sous mon nez commençaient à sécher et me piquaient la peau.

— Ils sont pas roses, j'ai dit à Bijou en montrant les bâtiments tout autour. Et il y a pas de fleurs aux fenêtres.

— Attends un peu de tourner le coin, bébé, tu verras que j'avais raison.

Simon I

L'air du bureau était frais, mais la chaleur dehors si tenace qu'il suffisait de jeter un coup d'œil par les fenêtres pour s'étouffer. Malgré cela, impossible de détacher son regard des tours voisines. Les structures métalliques tremblaient sous le soleil comme de fragiles tiges de caoutchouc.

Brève pensée pour ce qu'on appelle, ici, les événements.

J'ai desserré le col de ma chemise. Dans la grande salle, de l'autre côté de la vitre, les employés s'agitaient comme à leur habitude, mêmes gestes, mêmes décors, mêmes sons des talons qui claquent sous les tailleurs, mêmes torses balancés dans les chaises à roulettes.

Je me suis senti bizarre. Les voix se sont éloignées, laissant émerger le bruit des machines. Puis les employés sont devenus corps, les corps silhouettes et les silhouettes contours.

J'étais épuisé. Peu étonnant somme toute, pour un gars qui ne se couchait jamais avant deux ou trois heures du matin.

Un instant, j'ai tenté de calculer le retard de sommeil cumulé durant ces derniers mois. Les chiffres et les images pédalaient dans ma tête, cheveux longs d'Eden et durée de connexion, dureté de l'érection, tes lèvres douces Eden, mon cœur serré, ces liens sur tes poignets... Reprends-toi Simon, réveille-toi, sais-tu qu'on est au beau milieu de l'après-midi ?

Soit encore environ huit heures. Huit heures à endurer cette réalité merdique, les réflexions d'Arno, les coups de fil des clients, les kilomètres de bouchon, la tomate-mozzarelle de Graziella, les cris d'orfraie des gosses, les sales nouvelles de CNN, et pour finir une J-Lo, une Britney ou n'importe quel autre clone de cette espèce de salopes patentées.

Huit heures loin de toi, mon Eden. Ton visage sur l'écran. Mon souffle amoureux sur chacun des pixels de ton corps.

Béni soit le haut débit.
— Tout va bien, monsieur ?

Elle me fixait de son œil neutre, le même depuis quinze ans.
— Merci, Julia. Apportez-moi un soda frais, vous serez gentille.
Elle n'a pas idée de sa chance. Une existence sans souci, des week-ends à frotter son parquet, arroser ses ficus et regarder la télé. Matin et soir elle assied son cul fatigué sur les moleskines râpées du métro et termine son rêve sans s'inquiéter de savoir par quel miracle cette entreprise la paiera à la fin du mois. Insipide Julia.
— Monsieur ?
— Oui ?
— C'est mon anniversaire. Si vous le voulez bien, j'aimerais partir maintenant.
Regard placide, insupportable. Elle et moi savons très bien ce qu'elle pense. J'ai oublié, comme chaque année. Mais au fait, Julia, comment suis-je censé m'y prendre ? N'est-ce pas à toi de me rappeler mes obligations, pauvre conne ?
Calvaire et solitude infinie du patron.

— Joyeux anniversaire, Julia. Vous pouvez y aller, bien entendu.

Trop de choses dans ma tête. Trop d'informations. Peut-être l'âge, saleté de temps qui passe. Avant mes quarante ans, je jonglais avec les données. J'étais partout à la fois. Dans tout. Je faisais corps avec ma vie. Ça vous paraît normal ? Douze heures par jour, six jours sur sept, trois cent cinquante-cinq jours par an enfermé dans ce bureau. Arno et Graziella m'appelaient Superman, surnom qui m'est resté bien qu'une partie des motifs ait disparu. Cela dit, si l'on se penche sur cette intéressante question, ont-ils perdu au change ? Je ne baise plus Graziella, certes, mais elle n'y tient pas : elle préfère passer ses journées au Spa et dormir tôt pour préserver son teint. Ses seuls efforts consistent à choisir mes cravates chez Barney's et à engueuler la femme de ménage. Quant à Arno, il me doit tout et en particulier sa villa de Palm Beach, ce qui devrait éliminer une hypothétique remarque sur la baisse de mes performances et du chiffre d'affaires.

Quand je pense que la semaine dernière,

ce crétin s'est permis un commentaire ! Monsieur trouve que j'ai l'air ailleurs – pincezmoi, je rêve.

Je lui ai dit, Arno, je t'aime bien, mais va un peu devant la glace mater ton bide, ta calvitie précoce et tes costumes à chier. Posetoi la question, hein ? Tu serais qui sans moi ? Tu ferais quoi ? Partner chez Bart & Simpson ?

Oh mon Eden, loin de toi tout orgueil mal placé, tout intérêt mal employé. Cent fois par nuit tu m'assures que je suis merveilleux. Tu aimes cet adjectif, merveilleux, n'est-ce pas mon cœur ? Cent fois par nuit tu jures que tu m'adores et moi, je te crois. Mes journées n'ont plus qu'une fonction, ma chérie, me conduire à ta bouche, ta peau, ton sexe, tes lèvres roses, ta chair tendre et ton duvet clair. A toi je peux tout dire, Eden. A toi je peux tout faire, tu offres tout sans rien attendre. Ton cul, tes mots, tes soupirs, ton silence. Putain d'après-midi...

J'ai senti ma queue se durcir. Je n'aurais pas dû penser à toi, mon ange. Walter Greene et sa bande de roquets vont se pointer dans dix minutes pour conclure un contrat à deux millions de dollars et que trouveront-ils en face d'eux ? Le brillant Simon, joues brûlantes, tempes humides et bas-ventre en trois dimensions !

Au-delà du mur de baies vitrées, le soleil embrasait la ville. Sensation d'explosion, souvenir de bruit et de poussière, gorge sèche. Je me suis arraché de mon fauteuil, démarche décontractée, un dossier à la main pour dissimuler la déformation de mon pantalon. Un peu d'eau fraîche sur le crâne, *emergency* !

Arno était assis sur un coin de bureau à côté d'Elena, son assistante. Nos regards se sont croisés mollement tandis que je rasais les cloisons. De toute évidence, ce cher vieux commençait à me détester.

J'ai poussé la porte des toilettes : la lumière intense des néons m'a semblé réconfortante. Par chance, aucun employé n'avait envie de pisser à ce moment-là et j'étais seul face au miroir chromé, tout au souvenir d'Eden qui pointait encore entre mes cuisses. J'ai éclaboussé mon visage à grands jets, paupières fermées, laissant mes pensées divaguer.

Simon I

C'est à ce moment que les cris ont fusé. Lorsque j'ai rouvert les yeux, avec précaution, la pièce était devenue sombre, tout juste éclairée par la blancheur des céramiques. Mon cœur a explosé. Qui, coincé aux chiottes du trente-septième étage d'une tour de Manhattan sud, n'aurait pas senti ses tripes se serrer et sa raison flancher ?

Je me suis rué vers la porte, mais mon pied a glissé sur une flaque d'eau, *ma* flaque d'eau – celle que j'avais laissée en m'aspergeant –, et ma cheville droite a cédé. Je me suis traîné jusqu'à la salle. Je les voyais déjà les verrières fracassées, les plastiques brûlés, les fumées noires, les corps éventrés. Ils avaient remis ça, ces enfoirés. Vite Simon, attraper le portable, laisser une trace, un ultime message à mes gosses. Et tant pis, Eden, si c'est à toi que j'aurais aimé confier mon dernier souffle de vie. Lorsque tu allumeras ton écran, tard cette nuit, tu n'y verras qu'un nom inscrit en rouge, déconnecté Simon, déconnecté pour toujours mon cœur, déserté le bas et le haut monde, Eden, mon Eden, à qui donneras-tu ton amour et tes fesses désormais ?

Ni verre brisé, ni fauteuils noircis, ni morceaux de cadavres. Seulement des employés perdus, des ordinateurs éteints, des imprimantes et une climatisation muettes.

— Monsieur, c'est une panne de courant.

— Chez nous ?

— Partout dans l'immeuble, monsieur. Les ascenseurs ne fonctionnent pas.

— Je viens de capter la radio, a renchéri Arno. C'est la ville entière, peut-être plus.

Les gens se jetaient des regards anxieux. Que cachait cette panne subite ? Qu'allait-on devenir ? Ils attendaient que je parle, comme si je détenais la réponse.

J'ai suggéré qu'on laisse passer un peu de temps. On était aux Etats-Unis d'Amérique, pas dans le trou du cul de la brousse. C'était forcément une question de minutes. Il suffisait de patienter dans la sé-ré-ni-té. Avec ma cheville tordue, je n'allais pas me farcir trente-sept étages à pied ! Quelle poisse... Une panne au troisième millénaire ! Qui sait, peut-être même un Walter Greene coincé dans l'ascenseur ! Une sacrée journée de merde, oui.

Les communications étaient saturées.

Après quelques vaines tentatives, j'ai renoncé à joindre Graziella.

Image d'un corps enveloppé d'algues vertes, lèvres gonflées, front botoxé. Graziella, ma femme, celle à qui j'ai dit oui avec le sourire, il y a dix-sept ans.

La chaleur s'insinuait partout. C'était encore supportable, mais d'ici une demi-heure, si par extraordinaire le courant n'était pas rétabli, on commencerait à s'asphyxier. Les bureaux orientés plein ouest offraient leurs flancs à la brutalité des rayons. Les employés chuchotaient, perturbés par le silence et le désœuvrement. Sans ordinateur, fax, téléphone, comment allaient-ils s'occuper ? Certains classaient quelques affaires sans conviction, d'autres signaient des courriers. Des groupes se formaient, rassemblant des gens qui d'ordinaire ne s'adressaient pas la parole. J'observais mon petit monde du fond de mon bureau, guettant l'improbable arrivée de Greene.

Vers dix-sept heures, comme je l'avais prévu, les choses ont commencé à empirer. La température devait dépasser les 35 degrés et les toilettes étaient hors d'usage : les pompes qui acheminaient l'eau dans les étages ne fonctionnaient plus. Une odeur nauséabonde a gagné l'ensemble du plateau. Les employés tournaient en rond, excédés par l'incompétence de leur grand et noble pays.

— Si on les renvoyait chez eux ? a proposé Arno, oubliant sans doute qu'ils vivaient presque tous en dehors de Manhattan. Avec des métros condamnés à l'arrêt, ils n'étaient pas près d'arriver.

— OK, libère les fauves.

Il a donné le signal et aussitôt, tous se sont précipités vers les escaliers. Puis il s'est tourné vers moi.

— Tu ne viens pas ?

J'ai indiqué ma cheville enflée.

— Je ne peux pas descendre avec ça. Je vais attendre qu'ils réparent.

— Ah non, a-t-il répliqué. On ne sait pas combien de temps ça va prendre. Si c'était une simple panne, ce serait résolu depuis longtemps. Je vais t'aider. On fera des pauses, c'est tout.

Il m'a pris par le bras. J'hésitais sur ses motivations. Intérêt ? Peur d'une sanction s'il m'abandonnait à mon sort ? Nous avons avancé lentement, dans un silence de mort. L'éclairage de secours de l'escalier distribuait une lumière blafarde, parfaitement adaptée à mon état d'esprit. Je comptais. Trente-sept étages que multiplient quarante-cinq marches font mille six cent soixante-cinq. Que multiplient environ six secondes par marche, neuf mille neuf cent quatre-vingt-dix secondes si mon compte est bon. Cent soixante-six minutes.

— Arno.
— Oui ?
— Il me faudrait presque trois heures pour descendre à ce rythme. Ils auront rétabli avant : je vais rester au 36e.

Nous avions atteint le sas d'accès à l'étage. Arno m'a jeté un regard tendu. Il savait que c'était idiot de poursuivre dans ces conditions, mais se sentait coupable de me lâcher ainsi, après m'avoir incité à quitter mon bureau.

— Je peux rester avec toi. Ou t'aider à remonter, si tu préfères.

Attendre avec lui ? Nous n'avions plus rien à nous dire depuis longtemps. Il faudrait tuer le temps avec des conversations inutiles, mentir sur nos vies, faire semblant de croire que nous comptions l'un pour l'autre. Non, merci, pas ce soir.

— Ça ira, rentre chez toi.

Au fond, j'étais presque excité à l'idée de pousser la double porte et de pénétrer chez Robert & Sachs, les consultants du 36e. En quinze ans, je n'avais jamais mis les pieds à un autre étage que le mien. Je connaissais le nom des quarante-deux sociétés qui occupaient le building, pour avoir consciencieusement contemplé le tableau récapitulatif posté au pied de l'ascenseur à chacun de mes trajets. J'avais identifié certains visages, dont deux très jolies brunes qui descendaient au 31e, et une cinquantenaire blonde aux traits secs qui me rappelait ma mère, au 33e. Mais mon ascenseur ne desservant que les étages impairs entre le 31e et le 49e, j'ignorais tout de Robert & Sachs.

Simon I

Arno s'est éloigné d'un pas lent, destiné à dissimuler son empressement à quitter les lieux. Je savais qu'à peine hors de ma vue, il se mettrait à courir. Depuis les événements, il était devenu trouillard au point de recommander à plusieurs reprises que l'on déménage, prétextant une bonne affaire immobilière ou un manque d'espace dans les bureaux. Il ressassait l'histoire de ces gens à qui on avait dit de rester bien tranquilles à leurs postes et qui avaient finalement dû choisir entre la cuisson à haute température et le saut de l'ange.

Il y avait de quoi être déçu : les bureaux de Robert & Sachs ressemblaient affreusement aux nôtres : identique alignement de tables rectangulaires, même foisonnement d'écrans PC, mêmes chaises à roulettes recouvertes de tissu beige, mêmes ramettes de papier entassées au pied des photocopieurs. Jusqu'aux lampes design que je croyais avoir eu l'originalité d'acheter en personne au Moma design store.

Je me suis assis sur le premier fauteuil venu. Ici comme chez nous, tout le monde avait déserté, laissant un paysage étrange, désordonné et silencieux. J'ai pensé que peut-être, c'est ce qu'on trouverait après un nuage atomique, des bureaux vides, morts, avec un matériel inerte et plus le moindre son, ce qu'on voyait parfois dans les films d'anticipation.

L'état de ma cheville semblait se stabiliser, contrairement à la température qui ne cessait d'augmenter. J'ai allongé la jambe et fabriqué un éventail d'une feuille de papier froissé. Depuis combien de temps ne m'étais-je pas assis, où que ce soit, sans autre objet que l'attente ? Le reflet de mon corps massif et épuisé s'inscrivait sur les vitres battues par le soleil.

J'étais le roi qui siégeait seul, au 36e étage, sur Manhattan abandonné.

Canal I

Le grand-père aboyait comme toujours. Dans mes fréquents cauchemars, je l'imaginais transformé en chien perpétuellement lancé à mes trousses, la bave aux lèvres et le croc affûté, habité par la seule nécessité de me déchiqueter jusqu'à ce que plus rien ne subsiste de mon pauvre corps, ou tout au moins plus rien d'identifiable.

Bien entendu, je gardais pour moi le compte rendu de mes terreurs nocturnes. Qui aurait osé défier l'autorité de l'Ancêtre dans cette maison, dans cet immeuble, dans cette rue et même dans tout l'odorant quartier de Chinatown ?

Sûrement pas moi, qui n'étais ni un membre de la famille, ni un lointain parent, ni le parent d'un ami ou celui d'un voisin. Moi qui étais pour ainsi dire un non-être, une absence, un rien, au mieux une parenthèse emplie de vide puisque j'ignorais tout de ma naissance ou des détails de mon identité. Le seul point tangible de mon arrivée au monde restait mon sexe, et encore cela méritait-il d'être examiné, car mon cœur battait indifféremment pour les filles et pour les garçons.

Il était quatre heures dix. Je m'en souviens avec précision : un client essayait justement des montres, un client très fatigant qui discutait des performances de chaque modèle comme s'il s'agissait de véritables Rolex en or massif. Le grand-père passait et repassait à proximité en caressant sa barbe, vérifiait que je faisais correctement l'article, vilipendait (en chinois, pour ne pas être compris) mes arguments jugés trop mous et lançait un sourire de boa constrictor à l'acheteur potentiel avant d'orienter sa promenade vers de nouvelles victimes.

Le magasin s'étirait en longueur. On y trouvait amoncelé tout ce que la Chine savait faire, c'est-à-dire tout ce que la planète avait inventé. Films si récents qu'ils n'étaient pas encore sur les écrans de la ville, CD piratés, bagages griffés, pousses de soja en conserve, boissons fraîches, ventilateurs, confiseries, fournitures scolaires, rallonges électriques, chaînes hi-fi, poupées, préservatifs, lunettes de toilettes à l'effigie du Président, élastiques et teintures capillaires, tout et n'importe quoi, croulant sous une poussière épaisse que je m'évertuais à chasser durant ma pause – une consigne du grand-père, qui avait rédigé à mon intention un règlement des plus stricts.

Mes obligations étaient les suivantes : le matin à six heures, ouvrir le rideau de fer, sortir les tables sur le trottoir et disposer les bagages en prenant soin de les arrimer par une chaîne solide et cadenassée. Commencer le nettoyage en attendant les premiers passants. A sept heures, tandis que les autres vendeurs s'installaient à leur poste, porter son bouillon au grand-père et se laisser injurier copieusement, acquiescer à ses remontrances et demander pardon pour tant d'ingratitude. A neuf et onze heures, ainsi qu'à treize, quinze et dix-neuf heures, puis à minuit, heure de la fermeture, écrire sur un tableau accroché dans l'arrière-boutique un décompte précis des allées et venues, que les clients aient acheté ou pas. A dix-sept heures, monter au deuxième étage et veiller sur le dernier petit-fils, un garçonnet d'à peine cinq ans au ventre rebondi, au front proéminent et au tempérament irascible qui aimait m'assommer de coups de pied, me tirer les cheveux et me jeter des mots orduriers. Je ne le blâmais pas : il se bornait à reproduire une scène mille fois jouée sous ses yeux. Je tentais seulement de le faire changer de point de vue.

— Zhang, sais-tu que l'affrontement est le début de la défaite ?

— Tais-toi Canal ou je frapperai plus fort.

Une heure durant, parant ses attaques, je faisais en sorte de diviser mon esprit en deux parties inégales, une toute petite pour répondre aux questions stupides de Zhang et une très grande pour méditer l'indéchiffrable tableau de mon destin.

A dix-huit heures, la mère de Zhang entrait dans la pièce, chargée de sacs en papier kraft, les posait sans m'adresser une parole et serrait dans ses bras le petit monstre, signifiant ainsi que je pouvais regagner le magasin et reprendre mon service.

A vingt et une heures, les autres vendeurs quittaient les lieux. Le grand-père s'en allait retrouver sa nombreuse famille au premier étage pour y dîner d'un repas que j'imaginais pantagruélique. De temps en temps, il descendait et s'époumonait.

— Crois-tu que la marchandise se vendra seule ? Fainéant, malpropre, tu es ma honte, pourquoi t'ai-je recueilli, pourquoi a-t-il fallu que tu choisisses ma boutique !

Il y a bientôt vingt-six ans de cela, une nuit d'hiver, des mains anonymes m'avaient déposé devant ce rideau alors que je n'avais pas une semaine. J'étais maigre et couvert de boutons, mais mes géniteurs m'avaient laissé en héritage une santé de fer. Alors que la température avoisinait les cinq degrés, je poussais des cris si vigoureux que le grand-père, plongé dans ses comptes, avait d'abord pensé au rut d'un chat errant. Trouvant en fait de félidé un nouveau-né aux cheveux drus, il avait aussitôt convoqué un conseil de famille. Les femmes suggéraient de me confier à l'hôpital le plus proche, mais les hommes se refusaient à l'idée de laisser un

Chinois aux mains d'Américains. On était donc convenu de me garder, non pour autant de m'aimer. Et puisqu'il me fallait un nom et que la boutique donnait sur Canal Street, on alla au plus simple et l'on décida de m'appeler Canal.

Personne ne fit la moindre enquête, personne ne posa la moindre question et chacun reprit le cours de sa vie, m'intégrant à la maison au même titre qu'un ustensile de cuisine. On me nourrissait, on m'habillait. Les femmes me détestaient, sans doute à cause de mes traits fins, elles qui mettaient au monde des enfants joufflus aux crânes ronds et aux nez épais. Dès l'âge de quatre ans, elles m'avaient interdit l'accès aux étages et condamné à dormir au fond du magasin, enroulé dans des couvertures que le grand-père avait jetées sur une natte en plastique. Dans ce petit coin à l'abri des regards, je mangeais mon riz et ma soupe sans amertume, préférant la solitude à une compagnie hostile, et bénissant le sort qui m'avait préservé d'une mort quasi certaine.

Le jour de mes cinq ans, le grand-père m'annonça que je serais dorénavant chargé de l'entretien des sols.

— Je suis beaucoup trop petit pour accomplir cette tâche, répondis-je en toute naïveté.

Le grand-père entra dans une fureur sans bornes, me traita des pires noms que son imagination puisse produire, puis, comme un acheteur se présentait, se ressaisit et lança en caressant son bouc :

— Le Maître désapprouvait quatre choses : l'opinion personnelle, l'affirmation catégorique, l'opiniâtreté et l'égoïsme. Souviens-toi de ces paroles et soucie-toi d'être sage.

— Comme c'est honorable d'enseigner ainsi à cet enfant les préceptes confucéens, intervint le client. Assurément votre magasin est celui d'un homme de bien.

Et il remplit sur-le-champ son panier.

Cet incident, qui pourrait sembler sans importance, servit de socle essentiel à ma vie. Car après que le grand-père m'eut expliqué brièvement (une fois le client disparu), que je devrais faire le ménage avec ou sans sagesse, je décidai d'en savoir plus sur cet illustre Maître. Le soir même, un homme qui flânait devant notre étalage m'apprit qu'il s'agissait de Kong Qiu, encore appelé Kong Fu Zi ou Confucius, un philosophe chinois dont la pensée avait changé la face du monde et le cours de l'histoire. Il ajouta que le Maître était né d'une famille pauvre, mais de noble ascendance, et qu'il avait été orphelin de bonne heure. Ces derniers mots agirent sur mon esprit comme un philtre magique : je demandai comment suivre son enseignement. L'homme éclata de rire, s'informa de mon âge et si je savais seulement lire et écrire. Puis il indiqua du doigt une pile de fascicules.

Je savais lire. Établi depuis des mois entre ces quatre murs sans le moindre interlocuteur, j'occupais mon temps en feuilletant les ouvrages entreposés dans le magasin. Il y avait des livres pour enfants, des alphabets, des imagiers, des dictionnaires encyclopédiques, des bandes dessinées, quelques romans, un peu de poésie et de philosophie, des livres de cuisine et d'autres, bien plus nombreux, sur les arts martiaux. Mon instinct m'avait d'abord poussé vers les écrits les plus simples. J'avais déchiffré, parcouru, puis lu. Or cet incident, le jour de mon anniversaire, m'encouragea à redoubler d'efforts.

Je progressai rapidement. A dix ans, mon vocabulaire chinois et anglais était cent fois supérieur à celui du grand-père ou de tout autre membre de la famille. A quinze ans, je maîtrisais parfaitement mon corps, que j'assouplissais en suivant les consignes apprises dans les manuels d'Aïkido, de Shuai-jiao, de Taijiquan ou de Kung-Fu Wushu, tout en luttant la nuit contre des adversaires virtuels.

A dix-sept ans, j'avais lu plusieurs traductions des Entretiens de Confucius et j'en savais désormais assez pour réfléchir sur mon étrange condition de naufragé. Aussi, lorsqu'un client régulier de la boutique, apprenant que je vivais ainsi reclus depuis l'enfance, m'interrogea sur mes motivations, je répondis :

— Le Maître Kong quitta ses terres et tenta treize années durant, dans un périple qui l'amena aux quatre coins de la Chine, de convaincre le Politique du bien-fondé de ses idées. En vain. Il retourna à la méditation et à l'enseignement.

— Canal, ton explication est obscure. N'as-tu vraiment jamais éprouvé le besoin d'aller voir ailleurs ?

J'aurais pu répliquer que je n'osais trahir le grand-père, qui faute de m'avoir aimé, avait pris soin de ma vie. Ou bien que j'étais non seulement clandestin, mais aussi dépourvu d'identité, ce qui limitait par essence le champ des possibles et rendait toute sortie incertaine et dangereuse.

La vérité, c'était que je ne songeais même pas à quitter le magasin. Je n'avais d'autre aspiration que lire, m'instruire en tous les domaines et perfectionner mes connaissances en matière de combat. Il me semblait plus important d'étudier le style de la Mante Religieuse et de ses variantes, mante à 7 étoiles, mante au lotus, mante aux 6 combinaisons, mante de la porte secrète, mante à l'anneau de jade, mante aux 8 pas, Tai Chi de la mante, mante rigide (et d'autres encore), que de tourner le coin de la rue, flâner dans Soho ou m'enfoncer dans Chinatown. Que pouvais-je apprendre de cette ville ? J'avais vendu des kilos de dépliants touristiques et de cartes postales, indiqué des centaines de rues, de monuments, de musées ou de bâtiments administratifs sur les plans que le grand-père proposait à un dollar cinquante. Je connais-

sais chaque détail architectural, chaque sta-
tion de métro, et le planning complet des
ferries qui partaient de Battery Park pour la
statue de la Liberté. Cela me suffisait ample-
ment : le rythme de mes journées me plaisait,
constant et agréable.

L'année de mes vingt ans cependant, un
nouvel incident fit encore bifurquer le fleuve
paisible de mon existence. C'était un matin
de printemps et un courant d'air frais traversait le magasin. L'un des vendeurs fut pris
d'éternuements, trébucha, et s'étala de tout
son long, alors qu'il transportait un combiné
téléviseur-DVD flambant neuf.

Après l'avoir frappé à coups de canne,
agoni d'injures puis sommé de déguerpir
sans demander son compte, le grand-père
examina les dégâts et constata que la fonction
de réception des chaînes était hors d'usage.
L'appareil était perdu pour la vente, mais le
jeter alors qu'il n'était même pas encore
déballé lui était insupportable. Il décida donc
de l'installer dans l'arrière-boutique et m'au-
torisa à l'utiliser pour lire des DVD. Je n'avais
jamais vu un film, un documentaire ou une

émission de télévision en entier. Tout au plus, lorsqu'un acheteur demandait à tester la marchandise, branchait-on l'appareil quelques minutes. J'avais ainsi en tête une mosaïque d'images, de sons, de fragments d'histoire et de regards sans suite. Il y avait bien eu 2001 et les événements du Onze : ce jour-là, exceptionnellement, le grand-père avait allumé cinq téléviseurs sur cinq chaînes différentes pour obtenir en continu l'information la plus complète. Mais de CNN à la Hong Kong Television Broadcast ou la taï-wanaise Eastern TV, nous avions vu et revu les mêmes images. Et le lendemain, tous les postes avaient repris le chemin des cartons d'emballage, le grand-père n'ayant pas l'intention de laisser ses vendeurs se la couler douce en dénombrant les morts.

Parmi les centaines de films entreposés ici, deux catégories, les films de Kung-Fu et les histoires d'amour, l'emportaient largement sur les autres. Ils constituèrent donc une nouvelle phase de mon éducation. J'étais assez avancé en matière d'arts martiaux, mais pour ce qui concernait l'amour, j'ignorais presque tout. J'avais beau explorer depuis plusieurs années mon sexe et ses capacités, je butais devant l'expression des sentiments. Aussi la perspective de voir appliquées des méthodes concrètes de séduction me passionnait-elle, bien que je n'envisage pas un instant qu'elles puissent m'être utiles. Qui aurait pu aimer un homme sans passé ni avenir, sans le moindre bien ni l'espoir d'en posséder, sans même un nom ou une date de naissance ?

Chaque nuit, après avoir terminé mon travail, je visionnais un film. Je m'endormais en endossant le temps d'un rêve le costume d'un des personnages. Chaque nuit, je m'emparais d'une autre vie avec intensité et ferveur, goûtais au sentiment amoureux, aux plaisirs charnels, aux émotions des rencontres. Puis au petit matin, je me réveillais Canal sans déception, sans surprise, satisfait de retrouver mes quatre murs, de m'asseoir en tailleur et de méditer en attendant que sonnent six heures.

J'aurais pu vivre ainsi jusqu'à la vieillesse puis la mort, et ç'aurait été un sort sinon enviable, du moins confortable. J'aurais lu encore et encore, travaillé les mouvements de mon corps et ceux de mon esprit, poursuivi mes voyages au gré des achats du grand-père, qui recevait par lots les films en provenance d'Asie.

Mais c'était sans compter sur ce jeudi d'août. La chaleur était étouffante et les ventilateurs réglés à grande vitesse dispensaient un ronflement assommant. Tous les vendeurs, moi y compris, calculaient leur position dans le magasin en fonction de leur trajectoire et agitaient des éventails en plastique. Da-Feng, un des neveux du grand-père qui vivait là et occupait le poste de chef des vendeurs, s'était octroyé le meilleur emplacement, près du rayonnage central, à la croisée des courants d'air. Les autres lui jetaient des regards sournois, espérant qu'un acheteur l'entraînerait à l'autre bout de la salle et l'obligerait à libérer le point stratégique. Pour ma part je ne songeais pas à contester cet avantage : le respect de la hiérarchie était une valeur confucéenne que je tenais à appliquer. On m'avait relégué au fond du magasin et chargé des montres, loin de toute aération, mais à l'ombre, ce qui n'était déjà pas si mal et me convenait parfaitement.

Il était seize heures dix, mon client s'épongeait le front en négociant son achat, réclamait de voir d'autres modèles, se plaignait de l'été, de la vanité de ses voisins et du coût de la vie. Quand brusquement, les ventilateurs s'arrêtèrent.

Aussitôt, le grand-père se mit à aboyer plus fort et tous se dépêchèrent de vérifier les fusibles, grimper dans les étages pour questionner les femmes, brancher et débrancher tous les appareils de l'immeuble. Comme rien ne se produisait, Da-Feng se rendit à la boutique voisine et revint avec la nouvelle : Manhattan entier était sans électricité. Le grand-père caressa son bouc et sourit de satisfaction : le groupe électrogène qu'il avait acheté l'an passé allait enfin servir. C'était un petit modèle aux capacités limitées : on devrait renoncer aux ventilateurs, mais l'armoire réfrigérée resterait en fonction et, sous peu, si on avait la chance que la panne ne soit pas réparée trop vite, la moitié du quartier viendrait ici acheter de quoi se désaltérer.

Mon client, perturbé par les circonstances,

avait laissé tomber la montre pour regagner son foyer. Le grand-père distribua les tâches. Il ne fallut pas un quart d'heure pour mettre le groupe en marche et déballer les réserves de boissons. Chacun reprit sa position, calculant de nouveaux angles et espérant, cette fois, capturer une improbable brise venue de l'extérieur.

— Allons, dit le grand-père. C'est un bon jour, la pêche sera bonne !

Je songeai qu'en effet, ce serait un bon jour. Avec presque 38 degrés, Zhang n'aurait ni la volonté ni la force de me frapper.

Simon II

Le hurlement strident d'une sirène de police léchait la façade de l'immeuble. Je me suis réveillé en sursaut.

Tout était sombre.

Sombre ?

Je suis allé jusqu'à la baie vitrée. Manhattan était plongé dans la pénombre. Partout les immeubles, les tours, les rues s'enfonçaient dans le silence et le crépuscule. L'horloge accrochée au mur indiquait vingt et une heures.

Ainsi, rien n'était réparé.

Ainsi, il se passait quelque chose de grave.

Et moi, je m'étais endormi !

Pendant quelques minutes, j'ai observé l'artère principale. Pas une voiture, hormis celle des flics. Des grappes de minuscules silhouettes marchant sur les trottoirs et au loin, ce qui semblait être des bicyclettes. J'ai levé les yeux : des dizaines d'hélicoptères quadrillaient le ciel de New York, balayant les toitures de leurs lasers blanchâtres. Autour de l'Empire State, ils étaient quatre ou cinq de ces gros insectes en suspension, projecteurs braqués sur les fenêtres. Plus haut encore, des chasseurs de l'armée passaient et repassaient, laissant derrière eux une empreinte sonore menaçante.

J'ai dressé un bilan rapide. En négatif, c'était peut-être la guerre, la panne n'était pas réparée, j'étais seul en haut d'un building, il n'y avait pas de réseau, et la batterie de mon portable serait bientôt à plat. En positif, ce n'était pas une attaque nucléaire ni bactériologique, j'étais vivant, ma cheville était pratiquement dégonflée, j'avais dormi et je me sentais en forme : je pouvais descendre.

J'ai refait mes calculs. Avec deux pieds valides et la bonne vitesse de croisière, une demi-heure devrait suffire. Let's roll! Simon ! Je me suis lancé, presque gai, un gamin excité à la porte d'un square. Je me concentrais sur cette sensation libératrice. Mon corps, toujours confiné entre les ascenseurs, la voiture, le fauteuil du bureau et le parcours annuel de golf organisé par le Lion's, exultait de cet exercice imprévu. J'avais soudain six ans et l'escalier lugubre n'était rien d'autre qu'un manège de fête foraine, une fun-house en marbre lisse : j'avais oublié l'incident de ma cheville et m'amusais à sauter les marches deux par deux, puis trois par trois en sifflotant, yeah, yeah, yeah !

J'aurais dû être plus prudent. A la hauteur du 31e, ma jambe s'est à nouveau dérobée, me précipitant vers l'avant et la réalité. J'ai roulé jusqu'au palier intermédiaire. Dans ma chute, ma tête avait heurté chaque marche, produisant un bruit sourd, écœurant. J'avais le dos fracassé et l'arcade sourcilière éclatée. Le sang inondait mon visage, pénétrait mes narines, dévalait dans mon cou.

Un instant, j'ai eu l'envie étrange que tout s'arrête. J'ai pensé à Eden, aux seins d'Eden, à sa douceur, aux webcam, aux chiffres, à ma fatigue, à Greene, aux carpes japonaises du bassin de la villa, aux frais de scolarité de Jack et Amy et j'ai eu envie que tout s'arrête, oui, en bloc. J'ai pensé que le noir total devait être confortable. J'ai pensé que la mort, ce n'était jamais qu'une prise qu'on débranche.

Cela n'a pas duré. Je me suis relevé et j'ai repris ma descente en boitant ; maintenant, plus question de plaisanter mon vieux. De temps en temps, j'allumais le téléphone pour tenter un coup de fil. Si seulement j'avais pu joindre Julia ! Mais autant espérer gagner au loto. Le réseau était saturé et Julia sans doute occupée à souffler tranquillement ses trente-cinq, ou trente-huit, ou quarante-deux bougies d'anniversaire.

Personne ne peut se figurer ce que c'est, tant d'étages dans le silence, avec pour unique compagnon l'écho de ses propres pas. Des idées désagréables commençaient à s'insinuer : personne ne semblait s'être inquiété de mon sort. Personne n'était venu à mon secours. Tous ces employés que je faisais vivre et que j'avais libérés par pure bonté d'âme, avaient-ils eu le moindre geste envers moi ? Cet enfoiré d'Arno, sûrement en train de s'empiffrer de chips sur sa terrasse, est-ce que ça lui coupait l'appétit de me savoir

stocké au 36e ? Et Graziella ? Ma propre femme ! Avait-elle remué ciel et terre pour me
sortir de là ?

De voir ces marches défiler, ça me rappelait cette conversation, voici deux ans, au
moment de construire la maison. Elle la voulait sur un seul niveau pour éviter les étages.
Un seul niveau de sept cents mètres carrés !
C'est le problème avec Graziella, elle ne
réfléchit pas, pourquoi pas, tant qu'on y est,
se déplacer en scooter pour aller de la
chambre au living.

L'architecte l'avait écoutée poliment, puis
avait revu les plans avec moi : on s'était
arrêtés sur deux plateaux de trois cent cinquante mètres carrés, reliés par une volée de
marches en bois précieux importé de Hon-
grie. Graziella n'a jamais trop utilisé l'escalier, elle le monte une fois par jour, le soir en
fait, pour embrasser les enfants. Sa salle de
bains, son dressing, sa chambre, le sauna, le
salon, tout ce qui l'intéresse en priorité se
trouve au rez-de-chaussée. Position couchée
presque partout. Graziella allongée dans son
bain, Graziella étendue dans son sauna, Graziella alanguie dans son sofa. Et après ça,

Graziella qui s'étonne de fabriquer de la cellulite. La cellulite, on devrait la classer en tête
des matières premières fournies par la nation.
Pas la cellulite des pauvres, bien sûr, pas celle
de la junk-food. Non, je parle de la cellulite
de Graziella et de ses copines, de ces litres de
graisse qu'elles accumulent à force de regarder les autres trimer, la jeune fille au pair,
l'employée de maison, l'homme à tout faire,
le jardinier indien, tout ça le cul dans la soie,
le bloody-mary dans la main et le téléphone
à l'oreille. Cette cellulite qu'on masse, qu'on
draine, qu'on liposuce, qu'on combat avec
des rendez-vous chez la diététicienne, le psy-
chanalyste et la voyante, qu'on extermine
avec des cours de Pilate, des gélules au pam-
plemousse ou des ceintures d'électrodes.
Cette cellulite qui fait tourner le tiers du pays.
Ma femme qui fait tourner le tiers du pays !

J'avais de plus en plus mal. Le bas des
reins écrasé, la cheville tordue, la joue brûlante autant qu'après les torgnoles de mon
père – qu'il repose en paix, le grand prêtre
du châtiment corporel, grâce à lui et n'en

déplaise à Graziella, Jack et Amy ignorent jusqu'à la sensation d'une tape sur les doigts.

Je n'osais même plus regarder ma montre ni compter les étages. Peut-être que c'était un cauchemar, après tout. Peut-être que j'allais me réveiller dans mon lit avec l'odeur familière du café et des toasts. Peut-être que j'étais victime d'une mauvaise digestion, d'un de ces repas d'affaires avec alcools et vins obligatoires – question de statut, un contrat, ça se signe au châteauneuf-du-pape et au Louis XIII, pas à la San Pellegrino.

Mouais. Hypothèse peu probable : une heureuse constitution et quelques beaux restes de mes années chez les Bulldogs de Yale me protégeaient des excès en tout genre. A l'inverse de celui d'Arno, mon corps avait la quarantaine triomphante. Pauvre Arno, chaque jour un peu plus avachi, tassé, flétri. Ce regard désespéré dans le miroir lorsqu'on prend l'ascenseur côte à côte. Je me demande ce qui lui est le plus insupportable, la tenue de mes pectoraux ou bien le fait que de nous deux, c'est moi le patron. Je parie pour les pectoraux : Arno n'a jamais été très brillant, mais a toujours fait preuve de lucidité. Il sait qui est la locomotive, et qui est le wagon.

— Monsieur ? Vous avez besoin d'aide ?

Un des colosses de la sécurité avait surgi comme un diable du palier inférieur. Grands, noirs, carrés, tous cousins, du moins c'est ce que m'a raconté le régisseur de l'immeuble, alors comment savoir si celui-là était Régis, Bonaventure, Mumia, ou n'importe quel autre, et après tout, quelle importance ?

Il m'observait bizarrement, le sourcil suspicieux, grattant d'une main la plaque dorée de son uniforme. Il imaginait quoi ce crétin ?

— Je suis Simon Schwartz, de Schwartz & Partners.

— Je vois, monsieur.

C'était vraiment mon jour de chance. J'allais devoir justifier ma présence auprès d'un vigile pointilleux.

— Écoutez, mon garçon, je sais que vous faites votre boulot en surveillant l'immeuble, mais j'aime autant vous prévenir, si vous voulez garder ce putain de job merdique à huit cents dollars, évitez de me dévisager de cette manière. Je suis Simon Schwartz, bordel, pas un cambrioleur de mes deux !

— Je sais très bien qui vous êtes, monsieur. Ça fait huit ans que je travaille ici. Je vous vois partir tous les soirs. Je ne vous prends pas pour un cambrioleur, je crois seulement que vous avez besoin d'aide : on va descendre ensemble. Au rez-de-chaussée, il y a de l'eau dans les lavabos.

Il me parlait comme si j'étais malade. Il s'est approché, a saisi mon bras et l'a posé sur son épaule. Il était vraiment immense, avec des mains énormes et des bagues monstrueuses en plaqué or.

On a progressé de quelques marches, puis il s'est arrêté.

— On n'y arrivera pas comme ça, monsieur Schwartz. Je vais vous porter.

Tout était tellement anormal ce soir-là. Il m'a soulevé comme un enfant. J'ai regardé le chiffre au palier suivant : nous étions au dix-neuvième. Il me tenait serré contre lui et descendait d'un pas régulier, tranquille. J'avais envie de fermer les yeux, de me laisser aller, de m'endormir contre lui. Et en même temps, cette pensée-là, cette image-là me révulsait. Moi, Simon Schwartz, tranquillement assoupi dans les bras d'un Mike Tyson en uniforme !

Il n'a fait que trois pauses. Je sentais ses muscles raidis, contractés, il devait souffrir, mais pour rien au monde, il ne m'aurait posé à terre avant la dernière marche.

Le hall d'accueil était éclairé d'une lumière pâle diffusée par le groupe électrogène. Je le reconnaissais à peine, privé des clignotements de l'ascenseur, de l'effervescence des allées et venues, du chuintement des portes. Mumia (j'avais décidé qu'il s'appelait Mumia) m'a laissé devant les toilettes.

— Je vous attends, monsieur.

C'était loin d'être aussi confortable que chez nous : le sol était un banal parquet de chêne, il n'y avait ni savonnettes parfumées ni serviettes en nid d'abeilles, seulement d'ignobles distributeurs en métal blanc et des miroirs collés sur toute la surface des murs. J'ai eu du mal à déglutir. C'était bien moi, ce type à la gueule démolie, là, juste en face ? Je commençais à comprendre l'attitude de Mumia : j'étais couvert de sang séché. J'en avais sur les joues, sous les yeux, dans les cheveux. Mon arcade sourcilière gauche avait triplé de volume et mon crâne formait une bosse au niveau de la tempe. J'ai tenté d'arranger les choses, mais le savon me piquait, le sang s'accrochait aux plis de ma peau, rien à faire ; j'avais exactement l'air d'un gars qui vient d'être passé à tabac.

Mumia m'attendait devant la porte.

— Ça va mon vieux, je peux me débrouiller.

— C'est que vous ne pourrez pas sortir sans moi, monsieur. L'accès principal est bloqué. Je vous accompagne jusqu'à l'issue de service.

— Merci, mais je vais prendre ma voiture.

— Le parking est fermé aussi, monsieur. On a une défaillance du système de secours. Je suis désolé.

Défaillance du système de secours. Ben voyons. Penser à faire sortir par Julia le chiffre des charges astronomiques que je paie chaque année pour ce résultat affligeant.

On a traversé le hall, poussé une petite porte, emprunté un couloir sombre qui débouchait sur l'avenue.

— Vous y êtes, monsieur. Bon courage pour la suite.

— Vous restez là ?

— Mon service se termine à minuit. Je vais remonter faire un tour dans les étages.

Il a tourné les talons. Je l'ai hélé :
— Au fait, vous vous appelez comment ?
— John Beckham, monsieur. Bonne nuit, monsieur.

Il a disparu dans l'obscurité. Dehors, l'air était encore chaud, le ciel toujours quadrillé par les projecteurs, l'avenue déserte. Ici, il n'y avait que des immeubles de bureaux, quelques boutiques de vêtements et des cafés ouverts seulement pour le déjeuner. Depuis les événements, la plupart des habitants du quartier, déjà peu nombreux à l'origine, avaient cherché à déménager. Il se racontait que le taux d'amiante avait explosé et que d'ici dix ans, on verrait bondir le chiffre des cancers. Sûrement des foutaises mais à tout hasard, et aussi pour me débarrasser des angoisses récurrentes d'Arno, j'avais décidé qu'on chercherait d'autres locaux à partir de l'année suivante.

Mon premier geste a été d'allumer mon

mobile. Toujours pas la moindre diode de réseau. Et merde, j'allais faire quoi, moi ? J'ai marché vers le croisement suivant en espérant trouver quelqu'un qui puisse me renseigner sur l'état de Manhattan, de New York, du pays, du monde ! En espérant aussi trouver de quoi manger et boire : mon estomac gargouillait, ma gorge était irritée, je transpirais. Mais tout était fermé, vide, silencieux. Seules les sirènes de police continuaient à transpercer la ville de leurs cris aigus.

Il n'y avait rien à attendre de ce coin. Peut-être qu'en remontant en direction du Williamsburg Bridge, je pourrais trouver une voiture pour me ramener à la maison par la voie express ? Dans une rue perpendiculaire, un petit groupe était assis par terre. Ils étaient cinq, trois hommes et deux femmes d'une quarantaine d'années, en costumes, tailleurs et chemises blanches.

Alors que je m'approchais, l'un des hommes s'est levé et m'a apostrophé d'un ton agressif.

— Qu'est-ce que vous voulez ?

J'ai mesuré combien je devais être inquiétant avec mon visage déformé et mes cheveux en bataille.

— J'ai fait une chute dans un escalier. Mon téléphone ne fonctionne pas. Je veux seulement savoir ce qui se passe.

— Ce qui se passe ? Mais c'est la grande panne, mon vieux ! T'avais rien remarqué ? Tu viens de te réveiller d'un sommeil de cent ans ? Monsieur est peut-être cousin avec Walt Disney ?

Il faisait le fier, sans doute pour séduire l'une des filles. Je n'ai pas insisté ; je le voyais bien agent de voyage ou employé de banque, à vendre des destinations de rêve ou des prêts immobiliers pour des lofts somptueux qu'il n'habiterait jamais. Mais après tout, je m'en foutais pas mal. Tout ce que je voulais, c'était de l'information.

Il a expliqué que la panne touchait la totalité de la côte Est. Qu'ils allaient dormir dehors, sur ce trottoir, parce qu'il n'y avait plus ni train, ni métro, et que les bus et les taxis, pris d'assaut, étaient bloqués dans des embouteillages géants aux abords des ponts. Ils avaient entendu dire par d'autres égarés que plusieurs trains étaient restés coincés sous l'eau, qu'il y avait des scènes de

panique, qu'on ignorait l'origine de la panne
– et surtout, quand elle serait réparée.

Un bref instant, j'ai songé à Julia. Elle avait
quitté l'immeuble vers seize heures. Mauvaise pioche, Julia. Moi qui la croyais en
pleine fête ! Elle était probablement consi-
gnée dans un de ces tunnels étroits, des
tonnes d'eau sur la tête. Ça devait s'époumo-
ner ferme, là-dedans. Pleurer, réclamer, sup-
plier. C'était arrivé en plein après-midi, alors
il y avait forcément des tas d'enfants et de
bébés terrifiés par l'obscurité et la trouille de
leurs propres parents.
Jack et Amy étaient à l'abri, eux. Ils étaient
inscrits dans une école privée proche de la
maison et rentraient chaque jour à pied en
compagnie d'une baby-sitter ravissante. Avec
un peu de chance, à cette heure-ci, ils passaient la meilleure soirée de leur vie, se
gavant de gâteaux et jouant à la game-boy
jusqu'à épuisement des piles.

Comme l'agent de voyage, j'habitais trop
loin pour rentrer en marchant, mais contrairement à lui, je n'envisageais pas une seconde

de dormir sur l'asphalte. J'avais ma petite idée : en m'approchant du pont, je finirais bien par croiser une limousine ou un taxi. Je donnerais une belle somme à son occupant pour qu'il me cède sa place, et une autre au chauffeur pour qu'il suive mes consignes sans se soucier de l'heure. Après quoi je m'installerais tranquillement et j'attendrais la fin des embouteillages. S'il fallait passer la nuit entière ailleurs que dans mon lit, au moins que ce soit allongé sur le siège douillet d'une voiture.

J'ai choisi une allure tranquille pour ménager ma jambe et j'ai fait de nouveaux calculs, comme tout à l'heure, dans l'escalier. C'était plus difficile : il fallait évaluer un trajet que je n'avais jamais parcouru. J'ai parié sur vingt minutes et j'en ai mis cinq de plus, ce qui restait honnête. En débouchant sur Delancey, j'ai entrevu le pont. La vision était sidérante. Des milliers de voitures se pressaient en désordre sur l'avenue, dans un gigantesque cirque parsemé de fourgons de police. Le concert des klaxons formait une rumeur hystérique, tandis que la lueur de l'été, mêlée à celle des phares, dessinait une bulle de clarté surréaliste. J'ai accéléré le pas. Sur les trottoirs, entre les véhicules, au milieu des carrefours, des colonnes de fourmis humaines se déplaçaient en rangs serrés. Ma main s'est glissée dans ma poche pour y saisir mon portefeuille. Combien pour obtenir d'un quidam qu'il me laisse son taxi ? Cent, deux cents, trois cents dollars ? Mes doigts ont compté les billets. *Fuck*. Je n'avais que huit dollars, même pas de quoi payer le quart d'une course en temps normal.

Hé, Simon ! Seulement huit dollars, oui, mais quatre ou cinq cartes gold qui n'attendent qu'un geste pour te rendre service ! Et trente secondes de marche pour atteindre ce superbe ATM rouge et blanc, juste devant toi.

Trente secondes : le temps nécessaire pour me souvenir que les distributeurs de billets, comme la plupart des machines, fonctionnent à l'électricité.

Naomi II

Mes poumons s'arrachaient, mes cuisses se creusaient, c'est tout mon corps qui réclamait pitié.

— C'est trop dur, Bijou. Continue, toi.

— Tu vois le pont, bébé ? Tu vois cette foule là-bas ? Encore quelques minutes et on pourra marcher.

Elle voulait me rassurer, mais sa main dans la mienne ne cessait de trembler.

— Courage, on y est presque.

Je regardais autour de moi, assommée par tant de couleurs, de bruits, de voix. Des enfants couraient autour de nous, des voitures klaxonnaient, des filles dansaient.

Je découvrais le monde.

— Ça a drôlement changé, a dit Bijou. De mon temps, Brooklyn, c'était pas aussi gai.

J'étais trop faible pour discuter, mais ça

m'a étonnée, cette remarque. Depuis dix ans qu'on partageait le même sort, c'était la première fois qu'elle faisait allusion au passé. Avant, lorsque je l'interrogeais, elle s'appliquait à rester muette, faisait mine de ne pas entendre. Et lorsqu'on évoquait l'extérieur, elle commençait toujours ses phrases par « Imagine un peu ».

« Imagine un peu qu'il y ait un supermarché à deux blocs d'ici ». « Imagine un peu qu'on vive juste à côté d'un parc ».

Elle se comportait comme si elle était née chez Tony, à l'âge de vingt-cinq ans. Je n'insistais pas, à quoi bon ?

Mais aujourd'hui, elle était différente. Elle avançait sans hésiter, tournait à droite, à gauche, se dirigeait sans même jeter un œil sur les panneaux indicateurs, et voilà qu'elle ajoutait ces mots, « de mon temps » !

— Je t'en prie Naomi, fais un effort. Accélère.

J'aurais dû être heureuse, m'en coller plein les yeux et les oreilles, profiter du spectacle, déguster ces noms sur les plaques de rues, Driggs, Bedford, Berry, mais il faisait trop chaud et je me sentais si mal, les os rompus et le ventre sec.

Le pont se dressait là, à quelques mètres. Des centaines, peut-être des milliers de personnes s'y pressaient dans les deux sens.

— Je n'ai jamais vu un monde pareil, a commenté Bijou stupéfaite. C'est dingue ! Ils ont fermé l'accès aux voitures vers Manhattan ! C'est pas une petite panne, c'est sûr.

Elle parlait pour elle-même, trop excitée pour mesurer les conséquences de ses observations. Je ne pouvais plus me taire.

— Tu es de ce coin, Bijou, c'est bien ça ? Tu as vécu ici, dans ce quartier ? Dans une de ces maisons peut-être ? Et ce pont, combien de fois l'as-tu emprunté ? Dis-moi ! Dis-moi la vérité !

Elle s'est assombrie. J'ai cru qu'elle allait enfin se lâcher, donner une explication, un détail, mais elle s'est contentée de soupirer, et c'était presque un gémissement de douleur.

J'ai serré sa main. Je regrettais tant d'avoir posé cette question ! Elle d'ordinaire si forte, si peu émotive, elle qui semblait inaccessible à la douleur des coups autant qu'aux pires insultes, était soudain si bouleversée. Elle a forcé l'allure, désormais silencieuse. Un peu partout, des grappes bigarrées de passants entouraient des vendeurs de glaçons et d'éventails, nous obligeant à zigzaguer d'un trottoir à l'autre.

A l'entrée du pont, j'ai aperçu un épais barrage de police. Les uniformes luttaient pour orienter le flot humain. Des flics ! Combien de fois en dix ans avais-je rêvé de voir un uniforme ?

— La police, Bijou ! Là ! On peut y aller !

Elle s'est arrêtée net, m'a attrapée par les épaules.

— Ecoute Naomi, redescends sur terre, d'accord ? Tu veux faire confiance aux flics ? Et pourquoi pas à la justice ? Tu veux aller les voir, petite pute à crack ? Tu veux leur demander de l'aide ?

Elle se contenait, s'exprimait à voix basse, mais je sentais sa rage exploser.

— Tu as des papiers, tu es citoyenne des Etats-Unis ? Quelqu'un t'attend, tu as une adresse ? Une famille ?

Des larmes ont glissé sur mes joues, pas

que je le veuille, mais je me sentais tellement perdue.

Elle s'est radoucie aussitôt.

— Pardonne-moi, bébé. Il faut que tu t'en sortes. Mais c'est sur moi que tu devras compter, sur personne d'autre. S'il te plaît.

Oh, Bijou, sur qui d'autre en effet ? Ma mère morte lorsque j'avais quatre ans ? Mon père évaporé bien avant ma naissance ? Mon oncle Mihaï (était-ce vraiment mon oncle ?) qui m'a mise dans ce train, puis cet avion, à l'âge de douze ans ?

La dernière phrase que j'ai entendue en roumain, c'est sa voix qui l'a prononcée. On était sur la passerelle.

« Tu feras bien comme ta mère, petite salope. »

Ma mère, je n'ai jamais su si elle se prostituait ou si le simple fait d'être enceinte d'un inconnu avait suffi à la condamner aux yeux de sa famille. Je n'ai jamais su comment elle était morte, je ne me souviens même plus de ses traits, je n'ai qu'une image floue, des cheveux blonds et des yeux clairs, des lèvres pâles. Je ne me souviens plus que d'une chose : la sensation de ses baisers.

Je m'appelais encore Véra, voici ce qui me reste d'elle, un prénom de naissance et un poids sur le cœur. Mais ça aussi, cette ordure de Tony a voulu l'effacer. Dès le premier jour, il m'a dit : il n'y a plus de Véra, plus d'histoire, plus d'oncle, plus d'avion ou de Roumanie. Il y a Naomi.

On s'est faufilées entre les voitures de police et engagées sur le pont. Ainsi c'était ça, la vie. C'était ça, New York. Des gens de toutes les couleurs, de tous les âges, de tous les genres. Des types en short avec un vélo sur l'épaule, des femmes en talons aiguilles, d'autres en guenilles, des filles très maquillées, des blondes en survêtement de velours rose, des garçons en costume, des gosses à casquette à l'envers qui marchaient en dansant, des pressés, des tranquilles, des joyeux, des sombres, des riches, des miséreux.

En contrebas, une poignée d'enfants avaient ouvert les bornes à incendie et se collaient contre les jets pour les diriger vers le haut. Les passants aspergés les remerciaient d'un signe, d'un cri ou d'une pièce jetée au-dessus du parapet. J'ai entraîné Bijou sous l'eau.

— Viens Bijou, bois de l'eau avec moi, bois !

Elle résistait pour la forme, mais s'était détendue. Je voyais bien qu'elle avait envie de respirer, de jouer, de se laver de tout ce noir, de tout ce qu'on laissait derrière nous. Elle a ralenti un instant, puis a repris son air grave et m'a tirée vers l'avant.

— On n'a pas le temps, bébé.

Il fallait pousser des coudes et des épaules pour se frayer un chemin parmi la masse. Parfois, quelqu'un lançait un juron, agacé par ces deux femmes en minijupes, presque enlacées, qui le dépassaient sans un mot. Deux blondes décolorées en bas résille sur le Williamsburg Bridge et qui marchaient comme des reines, pour qui se prenaient-elles, les pétroleuses ?

A mi-chemin, mon regard a plongé vers le fleuve. Je me suis souvenue qu'un jour, un client était arrivé sur les nerfs après un embouteillage terrible provoqué par un sui-cidé. « Quel con, pestait le client, y pouvait pas sauter ailleurs, plutôt que d'emmerder des braves gens ? »

J'ignorais quelle distance me séparait de ce bras bleu, mais durant un instant, j'ai désiré m'y jeter, moi aussi. Un appel troublant m'arrachait vers le bas, quelque chose d'à peu près bon. J'essayais de détacher mes yeux du fleuve, en vain.

— Qu'est-ce que tu fous, a fait Bijou. Tu regardes quoi ? Y a rien à voir là-dessous.

— Et toi, pourquoi tu me parles sur ce ton ?

Elle n'a pas répondu. Elle savait ce qui venait de me traverser l'esprit, et moi, je savais qu'elle savait.

— Bijou ?

— Oui ?

— Euh... Non, rien.

— Alors dépêche-toi.

Il a fallu une demi-heure pour poser le pied sur Manhattan. Maintenant, Bijou fonçait.

— On remonte Delancey et on y est.

Elle pouvait bien m'emmener au diable : je dévorais chaque ombre, chaque reflet et c'était un miracle. Je n'avais plus mal au ventre, aux jambes, même pas envie d'un petit caillou : les tours, les klaxons, le voile tremblant de la chaleur au-dessus du magma mécanique m'éblouissaient mieux que les cristaux de Gecko.

— Encore cent mètres, bébé. Ça ira ?

Tu parles si ça ira ! L'avenue était peut-être trop large, les immeubles trop sales, mais moi, je trouvais ça magnifique. C'était la plus belle chose qu'il m'ait été donné de voir, le plus beau jour de ma vie. Et ce soleil qui transformait les chairs en eau !

Bijou se dirigeait avec la même aisance que dans Brooklyn. Elle a pointé son doigt vers la gauche.

— C'est là.

Elle indiquait une église. Enfin, une sorte d'église. Car dans les feuilletons, les églises étaient de jolies constructions élancées, avec un clocher et des façades sculptées. Rien de commun avec cette bâtisse trapue, juste ornée d'une croix immense et d'une affiche aux couleurs vives représentant Jésus. Sur le côté, un adolescent portait une pancarte « WC EN ÉTAT DE MARCHE », et surveillait la file d'une centaine de personnes qui patientait devant lui.

— Ça, a fait Bijou, c'est bien le père Joaquin. Jamais à court d'idées.

Nous sommes entrées. La nef était bondée : chaque banc était occupé, chaque espace libre était encombré de gens blottis les uns contre les autres. Près de l'autel, des femmes tenaient des scapulaires en chantant un air un peu triste mais superbe, dans une langue que je ne connaissais pas. L'air était délicieusement frais, tout juste tiédi par la flamme des dizaines de bougies qui brûlaient sur les chandeliers.

Une porte s'est ouverte au fond, laissant surgir un prêtre en soutane, un type énorme avec une barbe noire et des colliers dorés à l'allure de catcheur – et le catch, ça me connaissait, on en voyait quasiment tous les soirs sur la télé du bar.

Bijou a écrasé mes doigts. Son visage entier souriait tandis qu'elle observait le prêtre occupé à saluer, tenir une main, prononcer une phrase réconfortante. Moi aussi d'ailleurs, j'avais envie de sourire, à force de respirer ce calme et la douceur des chants.

Elle s'est avancée.

— Père Joaquin ?

Il a relevé la tête, a froncé ses sourcils touffus : Bijou ? C'est bien toi ? Puis l'a prise dans ses bras et s'est tourné d'un air gai vers une femme très âgée, toute petite, toute ridée, masquée jusque-là par son corps de colosse.

— Regarde, Carmenita, regarde qui est là, ne t'ai-je pas toujours dit qu'elle reviendrait ?

Et la toute petite et vieille femme a répondu :

— Ça oui tu l'avais dit, Joaquin, moi qui ne te croyais pas, quelle honte, Notre Seigneur a écouté tes prières !

Et elle a éclaté en sanglots.

Maintenant, Bijou aussi dégoulinait, et son précieux mascara formait en coulant des motifs étonnants sur ses joues.

Elle s'est dégagée de son étreinte.

— Père Joaquin, je dois te parler, s'il te plaît.

Elle m'a poussée vers lui.

— C'est Naomi.

— Bon, a dit le prêtre. On va s'installer dans la sacristie.

Nous l'avons suivi en file indienne : la vieille dame d'abord, qui trottinait comme une souris en essuyant ses larmes, Bijou, puis moi.

La sacristie était une grande pièce banale, équipée d'une longue table de bois, et tout autour, d'une quinzaine de chaises. Contre le mur, des armoires disparates s'appuyaient sur des images de saints. Par terre, des cartons s'entassaient remplis de bric-à-brac, assiettes et couverts en plastique, livres abîmés, chutes de tissus.

— Carmenita, a demandé le père Joaquin, donne un peu d'eau à Naomi. Elle n'a pas l'air en forme.

Il s'est penché vers moi et a pris mon menton dans le creux de sa main. Je sentais son regard plonger jusqu'au plus profond de mon être.

— Je ne crois pas en Dieu, ai-je jugé utile de préciser.

Il a passé un doigt précautionneux sur mes lèvres fissurées.

— Le père Joaquin aide tous les *thirst monsters*[1] d'East Village, a expliqué Bijou, sans doute pour me rassurer sur son geste.

---

1. Gros consommateurs de crack.

— Nous aidons qui en a besoin. Mais aujourd'hui, a ajouté le père Joaquin, c'est spécial. A cause de la panne, beaucoup de gens vont dormir ici ce soir.

Carmenita avait apporté une carafe et des verres. On a bu.

— Naomi est arrivée là-bas peu après moi, il y a presque dix ans, a commencé Bijou.

— Dix ans ? Mais enfin Bijou, elle est toute jeune ! ?

— Elle en avait douze.

Le prêtre a eu une expression mi-furieuse, mi-dégoûtée.

— Bijou, es-tu en train de me dire que...

— C'est ça oui.

— Douze ans, mon Dieu... Et tu n'as rien fait pour empêcher ça ?

— Que voulais-tu que je fasse, Joaquin.

Elle a repris cet air sombre qu'elle avait affiché tout à l'heure, quand j'avais supposé qu'elle connaissait Brooklyn.

— Pardonne-moi Bijou, je n'ai pas voulu te brusquer, mais c'est si... Allons, poursuis ton récit, je ne te juge pas, crois-moi, je t'écoute.

— Au début, ça m'était égal, tu sais bien

où j'en étais. Je l'avais à peine regardée.
Ensuite, les choses ont commencé à changer
dans ma tête, seulement j'avais peur de
Tony, alors je n'ai rien fait. Tu sais, pendant
des mois, elle ne parlait pas. Je croyais qu'elle
était plus âgée, je te le jure...

— Arrête Bijou. Tu es là avec elle, c'est ce
qui compte. Ne pense plus au reste.

Au reste ? C'était bien de moi qu'ils parlaient ? Je ne comprenais rien à leur
conversation.

— On va s'en sortir, père Joaquin. Je suis
venue te demander un peu d'argent, deux ou
trois cents dollars. Je l'emmène loin d'ici.
Mais je dois faire vite.

Le prêtre lui a pris la main.

— C'est bien, ma grande. Je suis content.
Vraiment, vraiment content.

Il s'est tourné vers la vieille.

— Tu vois Carmenita ? Qu'est-ce que je
t'avais dit ! Rabat-joie !

Puis il s'est à nouveau adressé à Bijou :

— Écoute, pour l'argent, ce n'est pas deux
ou trois cents dollars que tu possèdes, mais
beaucoup plus. Je n'ai jamais pris un *cent* de

ce que tu envoyais. Le problème, Bijou, c'est que cet argent, il est à la banque. Tu ne crois pas que je mets chaque mois tes billets dans une boîte en fer ? Et aujourd'hui, tout est fermé. Rien ne fonctionne, même pas les distributeurs. Alors on s'occupera de ça demain.

— Tu n'as rien touché ? Je l'envoyais pour toi, pour ton église, Joaquin.

— Je savais que tu reviendrais, pas vrai Carmenita ? Tu as dans les cinquante mille, si je me souviens bien.

Bijou s'apprêtait à répliquer, mais elle est restée bouche bée, les mots suspendus, les yeux écarquillés. Et j'avoue que moi aussi, j'en étais toute retournée.

— Nom de Dieu ! Cinquante mille !

— Hum... Je t'en prie ma chère, surveille ton langage, a fait le prêtre, amusé. Bon, installez-vous ici toutes les deux. Je vais m'occuper un peu de mes autres pensionnaires, et ensuite, nous reprendrons notre conversation. A plus tard, mesdemoiselles !

Il a sorti un plaid usé d'une des armoires et nous l'a lancé, puis a quitté la pièce, suivi de la vieille dame. Au moment de refermer la porte, celle-ci a fait un clin d'œil à Bijou. Un clin d'œil chez une femme de cet âge, je n'avais jamais vu ni imaginé chose pareille. Mais après tout, je n'avais jamais rien vu ni imaginé de tout ce qui composait mon après-midi depuis la survenue de la panne, alors, pourquoi pas ça ?

— Assieds-toi, m'a dit Bijou.

Elle avait à nouveau changé de physionomie. Encore une autre Bijou.

— Je t'expliquerai tout, bébé, mais laisse-moi un peu de temps. C'est difficile.

J'aurais pourtant voulu savoir, surtout pour cette histoire de cinquante mille et de boîte en fer, mais je n'avais sûrement pas l'intention de l'ennuyer.

— Comme tu voudras, Bijou.

Elle s'est penchée sur les cartons et en a tiré un vieux bouquin à la couverture déchirée.

— Tu ne sais pas lire l'anglais, n'est-ce pas ?

Elle a passé un doigt fébrile sous les lettres qui formaient le titre, et a énoncé lentement : « Apprenez la lecture à votre enfant. »

Puis elle a tourné la page.

Véra, suis mon index, ma chérie, recommence, viens sur mes genoux, tu seras bien. Véra, mon petit ange, mon amour, apprends avec maman, si tu es bien sage je ferai un gâteau pour toi et on le mangera sur le pont en regardant les poissons, serre-toi contre moi Vérouchka.

L'image a été fugace. Elle a jailli comme une fenêtre qui claque en été sous l'effet d'un courant d'air frais. Mon cœur s'est chargé d'émotion.

— Tu es prête ?

— Oui.

Pour la première fois en plusieurs années, j'ai réussi à me concentrer. De temps en temps, mon ventre me rappelait à l'ordre, ma bouche me brûlait, mais je regardais l'ongle carmin de Bijou se promener sur les lettres, j'écoutais les inflexions tendres de sa voix et je replongeais aussitôt avec elle dans un bain d'enchantement mêlé de mélancolie.

Nous avons détaillé les images et les sons pendant un long moment. Je me sentais bien, apaisée, j'aurais voulu que ça dure toute la nuit. Mais elle s'est interrompue subitement.

— Tu sais Naomi, je dois être honnête avec toi. Si Tony nous retrouve, on risque de passer un sale quart d'heure. Et même pire.

— Comment Tony nous retrouverait-il ? Comment saurait-il qu'on est là ?

— A cause des enveloppes : c'est un de mes réguliers qui les fait passer ici. Il peut en parler à Tony.

— Excuse-moi Bijou, mais pour les enveloppes, j'ai pas compris, de quoi parles-tu exactement ?

— Je parle de ma paie.

Sa paie ? Je me répétais ces deux mots en boucle. Sa paie ? Quelle paie ? Comment est-on payé lorsqu'on arrive dans le coffre d'une voiture, la nuit, les yeux bandés ? Comment est-on payé quand on n'a plus de nom, plus d'histoire, plus d'existence légale ? Comment est-on payé quand on est une pute à crack enfermée à vie dans un bar clandestin ?

— Ta paie ?

— Oui Naomi. J'étais payée. J'étais libre. Salariée, en quelque sorte. J'aurais pu sortir tous les jours. J'aurais pu disparaître un matin sans te dire au revoir. C'était un boulot.

En l'espace d'une seconde, j'ai perdu pied.

C'était beaucoup trop compliqué, beaucoup trop impossible pour moi.

— Qu'est-ce que tu racontes, Bijou, c'est la chaleur qui te fait délirer ? Un boulot, ça ? Payée à prendre des coups, à te faire baiser tous les soirs par des types dégueulasses quand c'est pas par Gecko, payée à rester cloîtrée entre les murs de ce bar, à ne jamais sortir, absolument jamais, et tu penses, oui tu penses que je vais croire un truc pareil ? Tu penses que je vais croire qu'une femme comme toi peut choisir un boulot de ce genre ? Tu aurais choisi ça, toi, de vivre en prison ? Tu penses que je suis tellement bête que je peux avaler cette histoire, Bijou ?

— Pourtant, j'ai choisi, oui. C'était bien plus facile avant que tu débarques. Je vais t'expliquer, mais pas maintenant. Je t'ai demandé un peu de temps, tout à l'heure. J'ai besoin de réfléchir.

Ah ! mais tout à l'heure, ces mots-là n'avaient pas été prononcés, Bijou. Tout à l'heure, je ne cohabitais pas avec une salariée de Tony. Tout à l'heure tu n'étais pas une cinglée, ou au mieux une menteuse. Tout à l'heure tu étais encore ma compagne de misère, celle qui m'a protégée, soignée, défendue autant qu'elle le pouvait, celle qui a si souvent pleuré avec moi, et parfois ri, celle qui rêvait de l'extérieur, qui jouait à deviner la couleur des immeubles ! Tout à l'heure tu étais ma mère, ma sœur, mon double, ma moitié !

J'avais besoin d'air ou j'allais étouffer. Je me suis levée, entre rage et accablement.

— Où vas-tu ? Ne t'éloigne pas, a fait Bijou d'un ton anxieux. Tu es en sécurité ici !

J'ai quitté la sacristie et traversé l'église d'une traite. Au bout d'une travée, j'ai aperçu le père Joaquin penché sur un jeune homme. Il lui prenait le pouls. J'ai franchi la porte d'entrée. Dehors, la chaleur m'a sauté à la gorge. Pourtant, le soleil était bas, il devait être vingt heures, ou plus.

Sur le côté du bâtiment, le jeune homme tenait toujours sa pancarte devant une file qui s'était allongée.

Je me suis assise sur les marches et j'ai enfoui ma tête entre mes bras. J'avais envie que la nuit tombe avec moi.

Canal II

Le grand-père pouvait être satisfait. Jamais son magasin n'avait connu pareille affluence. Lampes-torches, piles, bougies, allumettes, boissons, biscuits, conserves et ouvre-boîtes, radios, couvertures et sacs de couchage se négociaient au prix fort. Nous apprenions de la bouche des clients l'étendue du désastre : « Nous avons marché une heure avant de trouver votre boutique, se plaignait l'un. Les commerces sont fermés, ainsi que les restaurants. Il n'y a plus aucun réseau pour mon téléphone portable, se lamentait un autre. Vendez-moi une radio, que j'aie quelques nouvelles. S'il vous reste un matelas gonflable, ajoutait le suivant, je le prends. Le métro est fermé au moins jusqu'à demain. »

Pendant deux ou trois heures, il fallut courir, descendre à la réserve, ouvrir de nouveaux cartons et remplir sans relâche les rayonnages. Puis, le soir approchant, la foule diminua, ainsi que les stocks. A vingt et une heures, les étagères s'étaient vidées. Il ne restait pour tout liquide que des boissons énergétiques, du mauvais vin et de l'alcool de riz. Le grand-père se tordait les mains d'agacement, songeant aux bénéfices qu'il eût réalisés si seulement il avait commandé plus de marchandises.

Les vendeurs rassemblèrent leurs affaires et quittèrent le magasin. Da-Feng et le vieil homme, pressés de commenter l'événement aux autres membres de la famille, annoncèrent qu'ils montaient prendre leur repas à l'étage.

Avant de s'éclipser, Da-Feng me mit en garde :

— Ce soir n'est pas un soir ordinaire, Canal. Sois vigilant et fixe les bons prix. Tu peux encore vendre des ventilateurs de poche et des brosses à dents.

Ses yeux brillaient d'une cupidité joyeuse. Da-Feng n'avait jamais lu Confucius, ni aucun autre maître spirituel. Son esprit ne connaissait que trois sujets de préoccupation : l'argent, les femmes et la nourriture qu'il aimait grasse et sucrée. Il n'était pas mauvais, mais manquait cruellement de sagesse et de discernement. En particulier lorsqu'il me prenait à témoin de ses rêves d'avenir.

— Canal, le grand-père n'ayant pas de fils, ne serait-il pas juste qu'il me choisisse pour héritier ? Il se fait vieux ! Je parie qu'il l'annoncera pour le Nouvel An.

Il fallait un grand aveuglement pour échafauder une telle supposition. Le grand-père, qui absorbait chaque jour quantité de gélules mystérieuses en provenance de Hong Kong, n'avait aucunement l'intention de mourir et encore moins celle de transmettre sa fortune. Son cœur desséché n'avait de place ni pour ses gendres, ni pour ses neveux, ni même pour ses petits-enfants, qu'il chassait à coups de canne lorsqu'ils venaient quémander une friandise trop bruyamment.

J'essayais d'être à la fois honnête et diplomate.

— Da-Feng, le proverbe dit que c'est dormir toute la vie que de croire à ses rêves.

— Pff, malheureux Canal, la jalousie déforme ta vision. Je te pardonne, tu es si pauvre de tout. Allons, admets que j'ai raison. Et de toute façon, je lui en parlerai.

— Si tu veux !

En s'éloignant ce soir-là, Da-Feng s'était retourné et m'avait lancé un clin d'œil qui signifiait : « Tu vois Canal, mon heure est venue ! »

J'avais pitié de lui. Je le voyais déjà plaisantant avec nervosité pendant le repas sur l'opportunité de la panne, glissant avec maladresse des chiffres censés démontrer sa valeur et sa contribution, balbutiant des propos confus puis, une fois le dîner terminé et les femmes occupées à ranger, se lançant dans une phrase incompréhensible tandis que le grand-père le scruterait de ses petits yeux féroces, ces deux petites fentes propres à le statufier de terreur.

Ce soir, Da-Feng serait durement humilié. Toutefois, sans témoin, ce qui était à coup sûr le plus important pour lui. Le grand-père proférerait d'épouvantables insultes en agitant sa canne, Da-Feng baisserait la tête et chacun regagnerait ses quartiers, le vieil homme calculant déjà le chiffre de ses ventes, Da-Feng se maudissant d'être si lâche.

Ils ont disparu dans l'escalier ; je suis allé m'asseoir devant le magasin. Il y avait encore beaucoup de monde dans Canal Street et je savais qu'étant seul, le travail ne manquerait pas. De fait, trente-quatre clients se présentèrent entre vingt et une heures et minuit, qui achetèrent des plans de la ville, des chewing-gums, des boîtes de nougat au sésame, des conserves de poisson, du corned-beef, des carnets de note, des baladeurs, mais aussi, comme Da-Feng l'avait prévu, des brosses à dents et des ventilateurs de poche.

Avant de baisser le rideau, j'ai ressenti le besoin de faire quelques pas. La nuit était claire, l'air plus léger. Dans les immeubles qui bordaient la rue, on apercevait des centaines de petites lueurs tremblantes. J'ai songé que c'était imprudent : parmi les habitants, certains avaient dû s'endormir en laissant les bougies se consumer. Puis je me suis souvenu que la plupart des gens ont peur du noir, ce qui semble logique lorsqu'on grandit dans une chambre normale, comme celle de Zhang par exemple, avec un lustre à cinq ampoules, une lampe de bureau, une autre de chevet et une petite veilleuse en forme de dragon.

Bien au contraire, j'aimais l'obscurité. Enfant, lorsque je restais seul sur ma natte après la fermeture, je jouais à distinguer les formes et les objets. A l'époque, un unique interrupteur commandait l'ensemble des néons et le grand-père, avare parmi les avares, l'éteignait avant de monter, se souciant de mon sort comme de sa première paire de baguettes. Alors, par orgueil ou par défi, je tendais l'oreille, j'exerçais ma vue, et lorsque j'étais certain d'être seul, m'imposais toutes sortes d'épreuves pour améliorer ma concentration, ma rapidité, ma dextérité et ma résistance. Un de mes jeux favoris consistait à compter les grains d'un sac de riz et les laisser glisser sur mes paumes, puis à les ramasser jusqu'au dernier, quitte à y consacrer la nuit. Je m'entraînais aussi à sauter pardessus les rayons ou à planter la pointe d'un cure-dents entre mes doigts écartés, un jeu que les vendeurs pratiquaient souvent à la pause – eux, en pleine lumière.

Au fil du temps, le noir m'était devenu presque indispensable. Lors de la pleine lune ou des nuits d'été, quand la lumière filtrait obstinément à travers l'acier du rideau, je fermais les yeux pour accomplir à l'aveugle les exercices que je m'étais fixés. S'il arrivait que je me blesse, j'avalais un peu de poudre des sept millièmes de Liang ou bien j'appliquais un des onguents aux senteurs puissantes que le grand-père laissait sur l'étagère, au-dessus de ma natte. Je ne pleurais jamais. J'aurais aimé que ce fût par courage, mais la vérité, c'est que j'ignorais comment faire, et cela depuis toujours. J'aurais pourtant donné beaucoup (mais quoi, puisque je n'avais rien ?) pour effacer ce trait particulier. Petit, j'avais entendu avec effroi le grand-père raconter à Da-Feng qu'un mauvais esprit s'était emparé de mon corps et se nourrissait de mes larmes. Je savais qu'on pouvait chasser les démons d'une maison en la nettoyant avec rigueur, en dansant, en frappant des gongs, en allumant des torches ou en laissant des bambous éclater dans le feu. Mais que pouvais-je contre ceux qui avaient élu domicile en moi ? La pratique régulière du jeûne n'avait rien changé, pas plus que l'encens qui brûlait chaque nuit à mes côtés : j'avais dû me résigner à garder les yeux secs, comptant que mon hôte indésirable aurait un jour l'envie de me quitter pour d'autres paysages.

Je me suis frotté les reins d'un baume au camphre et au menthol avant de m'allonger. Mon corps réclamait le repos, fatigué d'avoir soulevé tant de caisses et porté tant de sacs : j'ai songé que pour la première fois de mon existence, je trouverais le sommeil avec facilité. Et j'étais déjà presque endormi, quelques minutes plus tard, lorsqu'un bruit énorme me fit bondir le cœur. C'était une sorte de souffle sourd, un son inconnu qui m'évoquait celui du gaz lorsqu'il croise l'étincelle. Le souffle fut suivi d'un cri strident, le hurlement d'une femme épouvantée.

Je me ruai sur la porte de communication, l'ouvris et la refermai aussitôt, repoussé par une fumée grise et puante. Les cris reprirent de plus belle : c'était la mère de Zhang.

— Le feu ! hurlait-elle, le feu !

Je demeurai pétrifié un instant, tandis que

mon cerveau déroulait des consignes à une vitesse informatique : lever en partie le rideau pour préparer une hypothétique évacuation, mouiller un linge, en couvrir ma tête et mes épaules, puis courir au secours du grand-père et des siens. Le style du serpent, que j'avais étudié des mois entiers et souvent pratiqué dans mes combats nocturnes, allait trouver une application inattendue. J'ai rampé dans l'escalier et joué de mes abdominaux pour échapper à l'asphyxie. La fumée s'épaississait à mesure que je gravissais les marches, le torse tordu et les cuisses contractées, concentré sur chacun de mes mouvements. Parvenu au premier étage, là où vivait Da-Feng, un spectacle effrayant m'attendait. Des flammes immenses dévoraient le couloir qui menait aux différentes pièces. J'ai appelé :

— Da-Feng !

Sa silhouette épaisse a surgi du brasier. Il a agité la main pour indiquer qu'il n'était pas blessé et a entrepris de franchir le couloir. La sortie était proche et il n'avait guère besoin de mon aide, au contraire de Zhang et de sa mère seuls au deuxième niveau, des membres de la famille qui occupaient le troisième, et surtout du grand-père qui vivait dans une sorte de penthouse à l'allure de pagode, au sommet de l'immeuble.

J'ai repris mon chemin dans l'escalier, prenant soin de ménager mes efforts et ma respiration. A chaque marche, l'air devenait plus irrespirable. Ma gorge, mon œsophage et mes poumons me brûlaient comme si j'avais dîné de braises, mais la douleur me traversait sans s'imprimer, laissant mon esprit et ma volonté lutter pour avancer. Je n'avais pas peur. Ma fatigue avait laissé place à une énergie intense que je sentais se déployer avec harmonie dans chaque cellule de mon corps.

J'allais atteindre le palier lorsqu'une seconde explosion fit trembler les murs, accompagnée d'une cascade de bruits étranges. Je poussai le panneau de bois et découvris Zhang et sa mère accroupis parmi les cloisons carbonisées et les poutres en flammes, serrés l'un contre l'autre, terrifiés et pourtant muets, comme s'ils attendaient l'inéluctable.

Je me suis plié en équerre, puis j'ai glissé jusqu'à Zhang.

— Oh, Canal, a seulement murmuré la femme en le poussant vers moi.

J'ai pris le garçon dans mes bras et fait signe à sa mère de nous suivre. Il fallut à nouveau enjamber, se courber, raser le sol avec l'enfant agrippé à mon cou, éviter les trous béants dans le parquet calciné, retrouver le chemin dans l'escalier devenu parfaitement opaque, traverser le magasin envahi de fumée, se traîner sous le rideau sans même réaliser qu'on était sains et saufs, puis se jeter sur le trottoir et enfin respirer, respirer de toutes nos forces : nous étions dehors !

Zhang a roulé près de moi et dit quelque chose que je n'ai pas compris. Les passants s'étaient attroupés, des sirènes s'approchaient, l'immeuble flambait et des cris fusaient comme mille comètes autour de moi. Cependant, je n'avais qu'une pensée : revenir sur mes pas, trouver le grand-père, le prendre dans mes bras comme j'avais porté Zhang et sauver sa vie.

Le ventre plus noué qu'après sept jours de jeûne, je suis reparti en direction de l'immeuble. Mais alors que je passais à nouveau sous le rideau de fer, un grondement terrible, aussi terrible que le plus sombre des orages, a arrêté mon élan. Au même instant, les flammes se sont échappées de la cage d'escalier pour commencer à pénétrer l'espace du magasin.

J'ai reculé. Dehors, une voiture de police et trois camions de pompiers rutilants s'étaient garés devant l'immeuble. Des escouades casquées s'affairaient à lever une échelle, tirer un tuyau, enfiler des combinaisons supplémentaires, tandis que des gens couraient en désordre, des femmes en chemise de nuit, des hommes en peignoir dont je reconnaissais vaguement les traits.

Le capitaine des pompiers regardait l'immeuble se consumer en secouant la tête d'un air désabusé.

— Où est Maman, Canal ? a fait la voix de Zhang.

Son petit visage n'avait plus rien de prétentieux ni de capricieux, seulement la trace de l'égarement. J'ai balayé la zone du regard. De l'autre côté de la rue, Da-Feng, le visage hébété et noirci de fumée, semblait bredouiller quelque chose à notre intention.

— Où est Maman, Canal ? a insisté Zhang.

J'ai pris sa main dans la mienne, sa petite

main molle de chagrin, et je l'ai conduit jusqu'à son oncle.

Comme le sort est cruel, ai-je pensé, qui
enlève à Zhang sa mère et à Da-Feng ses
rêves de gloire et de fortune. Le voilà héritier
d'un tas de cendres et d'un garçon perdu, ce
qui est certainement un cadeau du destin,
mais combien lui faudra-t-il d'années pour
s'en apercevoir ?

Il s'est tourné vers moi.

— Sauve-toi, Canal. Vois ces policiers qui
commencent leurs interrogatoires. Ils trouve-
ront que tu es hors-la-loi, et ils t'emprisonne-
ront. Pars, tu es libre !

Je l'étais plus que quiconque, en effet. Une
fois de plus, je pouvais remercier le ciel de la
vie bienheureuse qu'il m'avait réservée.
J'étais indemne, et malgré la compassion que
j'éprouvais pour mes hôtes vivants ou dispa-
rus, ce feu restait pour moi l'expression d'une
volonté supérieure.

J'ai jeté un dernier regard aux murs
embrasés de l'immeuble. Ils allaient probablement s'écrouler d'une seconde à l'autre.
L'âme du grand-père s'envolerait-elle parmi

les volutes de fumée ? Demeurerait-elle accrochée aux décombres, fixée aux restes fumants de ses trésors ? Serais-je seul à déplorer avec sincérité la disparition du vieil homme ? Il n'avait suscité que crainte et envie jusque chez ses propres filles, qui de toute façon étaient mortes avec lui. Qui pleurerait l'homme égoïste, dont l'unique geste d'humanité avait été d'abriter un nourrisson abandonné ?

J'ai souhaité bonne chance à Zhang et Da-Feng.

— A toi aussi, Canal.

Leurs yeux brillaient : sans doute auraient-ils aimé s'effondrer, mais ils tenaient, pour se montrer braves, se donner mutuellement du courage. L'un comme l'autre étaient soudain si différents. En moins d'une heure, l'incendie nous avait rapprochés plus qu'en vingt-six années. Mais les uniformes s'avançaient et je devais m'enfuir.

J'ai épousseté rapidement pantalon et T-shirt, puis je me suis glissé parmi les badauds. Ma décision était prise : j'irais à Brooklyn. J'avais entendu dire qu'on trouvait là-bas une multitude de communautés, et que les vagabonds y étaient plus tranquilles qu'à Manhattan. Bien sûr, j'aurais pu m'enfoncer et me fondre dans Chinatown, où j'aurais été en parfaite sécurité. Mais puisqu'il était écrit que je devais quitter Canal Street, ce n'était sûrement pas pour recommencer une vie identique, avec un autre magasin et un autre grand-père. A l'image du Maître et de son disciple Yan Hui, qui toujours s'attachaient à accepter ce que le Ciel offrait dans l'optimisme et l'espoir, je me devais d'écouter les signes qui m'étaient envoyés et disaient : bouge, Canal, sors d'ici, sors de toi, suis ta voie !

De l'endroit où je me trouvais, le chemin le plus court pour Brooklyn consistait à emprunter le Manhattan Bridge. Toutefois, après ces années passées à indiquer des itinéraires aux passants et à compulser les guides de la ville, j'avais découvert un endroit, un seul endroit que j'aurais aimé voir autrement qu'en photo. Il s'agissait du Tenement Museum, un lieu consacré à l'histoire du logement des premiers immigrants. J'avais lu dans un guide qu'un journaliste du nom de

Jacob Riis avait publié en 1890 un reportage avec ce titre saisissant « Comment vit l'autre moitié ? ». Quelques-unes de ses photographies étaient reproduites dans le livre. On y voyait des hommes et des femmes, à qui l'on avait raconté que les rues étaient pavées d'or, dormant à même le sol des appartements insalubres, dénués de tout, brisés par leur propre désir. Sans que je puisse me l'expliquer, leurs silhouettes fantomatiques s'étaient depuis imprimées dans mon cœur.

Le Tenement n'était guère éloigné de Canal Street : il suffisait de prendre Lafayette et Grand pour rejoindre Orchard, c'est-à-dire dix minutes au plus, en marchant d'un bon pas. La lumière de la lune baignait la façade étroite de l'immeuble quand j'y suis arrivé. Je l'ai contemplé longuement, comme – je l'imagine – on regarde avec nostalgie un lieu où a vécu l'être aimé. Je savais le bâtiment entièrement réhabilité et les appartements réaménagés, joliment décorés pour effacer les regards échoués, fixés jadis par Jacob Riis. Aussi, je me moquais bien de ne pouvoir le visiter : j'ai repris mon chemin vers Brooklyn. Cette fois, le meilleur trajet pour y parvenir empruntait le Williamsburg Bridge. J'ai avancé sur Delancey, une vaste avenue sans âme couverte de voitures abandonnées en double ou même en triple file : les embouteillages avaient dû être pénibles. L'excitation, l'agressivité et l'adrénaline consommées étaient encore palpables dans ce chaos d'acier.

Plus loin, les piliers du pont se dessinaient dans le ciel clair-obscur. Que trouverais-je de l'autre côté ? Je me suis arrêté un instant pour observer les environs lorsque, soudain, je me suis senti faiblir. L'accumulation des efforts de la journée et de mes contorsions durant l'incendie m'avait exténué. En outre, trop occupé par mon travail, je n'avais pas pris le temps d'avaler mon bol de riz du soir.

Cinquante mètres plus loin, dans la direction opposée, des chandelles éclairaient une construction massive. Des ombres s'agitaient à l'entrée. Il y avait du monde là-bas, des gens qui ne dormaient pas, et peut-être de quoi reprendre quelques forces. C'était une nuit particulière. Ils ne me refuseraient pas leur aide.

Simon III

Il m'a fallu quelques minutes pour digérer la chose. Bien, reprenons, Simon. Ton compte en banque a beau être plein comme un œuf, tu es momentanément plus pauvre que la femme de ménage qui nettoie tes bureaux. Ton téléphone est muet et marcher plus longtemps est hors de question. Bref, c'est ce qu'on appelle nager dans la merde. C'est le moment d'avoir une idée brillante, non ?

Brillante ? Mais oui ! Comment n'y avais-je pas pensé plus tôt !

Mon index a caressé la Rolex que je portais à la main droite, un cadeau d'Arno, l'an dernier. Un peu plus loin, mal garé, un type claquait sa portière d'un air excédé. Il était vêtu bon marché : sûrement un employé d'un des ateliers qui pullulaient dans ce coin, autant dire le client idéal. Je lui ai fait signe.

— Hé ! Vous comptez rester ici ?

— Qu'est-ce que ça peut te foutre ! J'ai pas le droit ? T'es flic ?

— Du calme, mon vieux. Ça m'est complètement égal que le stationnement soit autorisé ou pas. Par ailleurs, je serais surpris qu'un véhicule de la fourrière parvienne jusqu'ici ce soir. J'ai quelque chose à vous proposer. Je veux louer votre voiture pour la nuit.

Ses yeux étaient légèrement bridés, j'aurais parié qu'il avait une grand-mère asiatique, ou mexicaine.

— Ma voiture ? Pour aller où ! On n'avance pas d'un mètre !

— Nulle part. Je cherche un endroit pour dormir, c'est tout. Je n'ai pas d'argent liquide, mais je vous laisse ma montre. Avec ça vous aurez de quoi racheter deux bagnoles comme la vôtre.

J'ai détaché le bracelet et l'ai balancé sous son nez. Il s'est approché : j'aurais parié qu'il n'avait jamais vu une Rolex d'aussi près. Mais il a soudain changé d'expression et ses mains noueuses se sont mises à trembler de hargne.

— Je crois que c'est pas le bon jour pour me chercher des ennuis, gars. Je suis déjà à cran. Remballe ta breloque à quinze dollars et tire-toi avant que je perde mon sang-froid, OK ?

— Une breloque ? C'est un cadeau d'anniversaire de mon associé ! Une Rolex !

— Ah ouais, alors il travaille sur Canal Street ton associé ? Une Rolex, ça ? Une Taïwanex plutôt ! Allez lâche-moi, gars, je préfère croire que t'es naïf et ça vaut mieux pour toi, pas vrai ? A moins que tu préfères qu'on se fâche à fond toi et moi ?

J'étais sous le choc. Ce bâtard d'Arno, comment avait-il pu. Moi, Simon Schwartz, je me promenais depuis bientôt un an avec une montre en toc autour du poignet. Et ce sourire, le jour de mon anniversaire ! Elle pesait lourd, elle brillait, elle était waterproof, je me souviens lui avoir dit : « Tu es complètement malade, Arno, tu t'es ruiné ! » Mais intérieurement je trouvais ça normal, c'était la moindre des choses après ce que j'avais fait pour lui.

Ah, il m'avait bien possédé, ce salaud, avec ses manières obséquieuses. Il s'était rendu dans un de ces bouclards à moitié illégaux – ce qu'il avait dû se marrer en sortant son billet de vingt ! Comment ai-je pu être assez con pour ne rien remarquer. Et cette idiote de Graziella, c'est bien la peine de passer sa vie à écumer les bijoutiers, elle aussi s'était extasiée sur la Taïwanex, elle avait commenté le modèle en détail, fait mine de le connaître, parce que le luxe, c'est son domaine, son art, elle se doit de le maîtriser à la perfection.

Oh, merde. Il me vient une pensée. Non, Graziella. Graziella ! Je hais les Chinois, je hais Arno, je hais ma femme. Graziella couche avec Arno, bien sûr ! Son rire au moment du cadeau. Leur façon de m'appeler Superman tous les deux, et de pouffer avec le même geste ridicule, la main devant la bouche. Leur liaison me saute aux yeux. Ce n'est plus une pensée, c'est une certitude. Les costumes d'Arno, le langage d'Arno, tout est sous influence de Graziella. Arno qui propose de rendre visite à ma femme quand je me déplace pour le cabinet (car c'est toujours moi qui me déplace, les clients c'est Simon Schwartz qu'ils réclament, pas une doublure qui perd ses cheveux), et cette chère Graziella qui vole au secours d'Arno à chaque occasion, qui l'invite à la maison, en week-end, à déjeuner, au spectacle, qui plaide sa cause « le pauvre il est seul, il est déprimé, on ne peut pas le laisser tomber, c'est un fidèle, ton unique ami, il aide Jack à faire ses exercices de maths, il a emmené Amy à son club de poney » !

Je me tenais sur ce trottoir encombré de passants, j'avais chaud, faim, soif, et je pinçais entre deux doigts cette montre de pacotille tandis que les morceaux du puzzle jaillissaient un par un de ma mémoire, complétant le tableau affligeant de ma vie.

Deux types m'ont frôlé en parlant.

— On n'a qu'à faire une pause à l'église, a dit l'un d'eux. Il doit y avoir à boire, regarde ce monde !

Une église ? Une large bâtisse se détachait sur ma droite. J'ai songé que j'avais emprunté cette avenue des centaines de fois sans la remarquer. Il faut dire qu'elle ressemblait à un gros atelier, mais après tout, des églises à New York il y en a de toutes les formes géométriques et de toutes les tailles, et je ne

les fréquente pas assez pour porter un juge-
ment. J'ai suivi les deux hommes jusqu'aux
abords du bâtiment. Les trottoirs étaient couverts de petites grappes de gens, assis ou
allongés sur leurs vestes. On avait posé des
chandelles çà et là, dans des petits pots de
verre ; leur clarté piquetée de fumées noires
se mélangeait à celle du soir tombant. Dans
la rumeur des embouteillages, mon oreille a
distingué des chants espagnols. Je me suis
dirigé vers l'entrée : à l'intérieur, je trouverais certainement quelqu'un qui saurait me
comprendre, quelqu'un qui connaissait
Schwartz & Partners, il suffisait de regarder
la télévision, non ? On m'avait encore vu la
semaine dernière sur plus de quatre-vingts
chaînes sortir victorieux du tribunal après les
conclusions de l'affaire Crump – conclusions
par ailleurs si favorables que Crump a juré
en direct de faire sculpter une statue à mon
effigie.

Oui Simon, courage : parmi cette petite
foule, il se trouvera bien une âme charitable
branchée sur ABC ou NBC ou CBS ou
CNN ou la Fox ou n'importe quelle autre
putain de chaîne, qui songera qu'un avocat

de mon calibre dans ses relations pourrait lui être utile un jour où l'autre – le raisonnement a déjà fait ses preuves, si j'en crois la remise octroyée par mon entrepreneur ou le tarif préférentiel dont je bénéficie à vie dans les établissements d'une des plus prestigieuses enseignes hôtelières du monde.

Je pensais à cela lorsque j'ai posé le pied sur la première marche : aux hôtels, à la destination du prochain week-end que je m'offrirais en célibataire pour oublier ma femme et mon associé. Au champagne que je ferais réserver par fax pour mon arrivée, merci Julia de ne pas oublier de préciser « millésimé ».

Ce qui s'est produit ensuite, comment aurais-je pu l'imaginer ? Qui d'ailleurs aurait pu le prédire ? A la deuxième marche, alors que mon esprit voguait entre Hawaï, Moustique et les Bahamas, elle m'est apparue, ses cheveux blonds, ses épaules fines, ses bras longs comme deux lianes aux terminaisons gracieuses, ses yeux immenses, bleu pâle, creusés par les nuits blanches, creusés par ces nuits passées ensemble malgré la distance, mais était-ce possible ? Était-ce réel ? Ou bien était-ce la soif, l'estomac vide, l'absence de repère ? Était-ce tout simplement un miracle puisque je me trouvais sur le seuil d'une église ?

Elle était assise là, le regard perdu vers le pont, ma douceur, ma folie, elle était là, mon Eden.

Je l'ai observée un instant, d'abord terriblement ému, puis désorienté. Eden ignorait qui j'étais. Elle ne connaissait que mon prénom, une précaution qui jusqu'ici m'avait paru indispensable. Quant à moi, je ne savais d'elle qu'une silhouette souple dans la pénombre, une mèche blonde balayant la webcam, mais, oh, Eden, je t'aurais reconnue parmi cent, oui c'était bien toi, ça ne pouvait être que toi, mon ange d'amour qui sait tous mes secrets, mes goûts et mes faiblesses, qui interprète mes fantasmes et me fait jouir à m'en vider le corps, hmm Eden, j'en bande de penser à tes mots, j'en bande de penser à ton cul, j'en bande même de penser à ces quatre lettres, Eden.

Je me suis installé à côté d'elle. Soudain je n'avais plus besoin de rien. Juste la contempler. La détailler. L'entendre ? Dans notre

relation, Eden avait imposé deux principes :
jamais de contact en réel et jamais de questions sur nos vies. De l'image, des mots, du
plaisir, un tarif. Eden monnayait ses services
sur le Net, peut-être qu'un Arno aurait
trouvé ça pathétique, moi ça m'allait très
bien, j'étais prêt à payer jusqu'à la fin de mes
jours pour savourer le paradis d'Eden.

Elle n'avait pas bougé. J'ai murmuré :
— Eden ?
Elle a incliné la tête. Elle était un peu différente, les traits plus émaciés, le visage plus
long, et en la regardant de près, j'ai été surpris par ses cheveux, plus fins que sur l'ordinateur, par son teint clair et surtout sa tenue,
une minijupe noire bon marché, un débar-
deur très décolleté et des chaussures à talons
hauts avec une sorte de lacet qui enserrait la
cheville. Eden était plutôt du genre à porter
des robes grande classe qu'elle enlevait rapidement pour montrer des dessous sophisti-
qués, mais après tout et vue de près, la mini,
ça lui allait aussi bien.

— Tu aurais une clope ?

Elle avait lâché ça dans un soupir. Son regard m'a traversé comme si je n'étais qu'un élément du décor. Quel idiot : elle l'avait pourtant répété cent fois, PAS DE CONTACT, SIMON, et moi, à la première occasion, je m'adressais à elle et je prononçais son prénom. Bon. D'abord, lui trouver une cigarette, oh Graziella je crois que je vais définitivement te haïr, moi qui fumais mes deux paquets par jour, sur tes bons conseils il a fallu arrêter, coller des patchs, se faire piquer, bouffer du chewing-gum magique dix-huit heures sur vingt-quatre, boire des décoctions ignobles, et le plus lamentable dans l'histoire, c'est Arno ! « Je vais m'y mettre avec toi, Simon, à deux c'est mieux, on se soutiendra. » Ça me déplaisait, cet échange de bons procédés, devoir quoi que ce soit à Arno, et puis quoi encore ? Mais j'ai cédé aux exigences de Madame Parfaite, et voilà où tout ça m'a mené.

Au bout des marches, sur la droite, un vieil homme venait d'allumer un briquet. Je me suis penché vers Eden.

— Je vais en rapporter une. Un instant.

D'un bond, j'ai rejoint le vieux : il contemplait l'embouteillage.

— Bonsoir, ai-je commencé. Je me permets de vous déranger...

— Vous avez vu ce bazar, a-t-il interrompu. Savez-vous à quoi je pense en regardant ces voitures ?

Ce qu'il pensait était le cadet de mes soucis, mais les vieux sont atrocement susceptibles et j'avais une mission à remplir. Je lui ai prodigué mon meilleur sourire.

— A quoi donc ?

— Aux malfrats, aux voyous, aux braqueurs de banque, aux assassins !

— Aux voyous, vraiment ?

Je l'écoutais distraitement, surveillant Eden du coin de l'œil. Elle était immobile.

— Il y a ceux qui vont profiter de la panne pour cambrioler les magasins, c'est certain...

— Oui, comme la dernière fois, ai-je appuyé d'un ton intéressé.

J'allais développer l'anecdote pour montrer ma bonne volonté lorsqu'une jeune femme, blonde elle aussi, est sortie de l'église d'un pas vif et s'est dirigée vers Eden. Durant une seconde, elle s'est tournée dans notre direction. J'étais caché en partie par le vieux et elle ne m'a pas vu, ou trop brièvement. Moi, si.

Pendant les quarante premières années de ma vie, j'avoue que je n'ai cru ni en Dieu, ni au destin. Pendant les quarante premières années de ma vie, rien n'est survenu qui ne soit prévisible, sinon la disparition de ma mère – mais peut-on prévoir la mort d'une mère lorsqu'on n'a pas quinze ans ?

Pour le reste, pas la plus petite surprise : mon premier diplôme, mon premier coup, mon premier job, le mariage avec Graziella, les deux enfants, le cabinet, mes défauts, mes qualités, mes vices et mon avenir, limpide. J'étais un livre ouvert. Avec un peu plus de discernement, j'aurais même pu prévoir que je serais cocu. Mais voilà que ce soir, ce soir... ! En moins d'une demi-heure, d'abord Eden assise sur ces marches et puis, Bijou Sumner ! Ce qui était non seulement en soi un excellent signe, puisque c'est en quelque sorte grâce à cette femme que ma carrière s'est envolée, mais de plus une excellente nouvelle puisque de toute évidence, Bijou et Eden se connaissaient !

Je n'écoutais plus du tout le vieux. Je regardais les deux filles. Elles ont eu un échange bref puis Eden a fait signe à Bijou de repartir d'un geste agacé. Bijou a haussé les épaules et repris le chemin de l'église tandis qu'Eden se recroquevillait dans la posture d'un enfant buté.

— Le plus drôle, a fait le vieil homme, c'est de penser à ceux qui sont bloqués dans ces voitures. Tenez, celle-là, avec les vitres fumées, si ça se trouve, il y a à l'intérieur une demi-douzaine de truands avec des sacs de billets plein les bras, et ils sont coincés, ils peuvent pas quitter la ville, c'est pas marrant ça ?

— Très ! Dites, ça vous ennuierait de m'offrir une cigarette ?

Le vieux a scruté mon visage en soulevant ses lunettes.

— Dites donc, je vous ai vu à la télé, vous ne seriez pas Simon Schwartz ? Crump ! Le procès ! Les millions ! La statue !

Et voilà. Miracle du mass média.

— C'est ça oui, c'est moi.... Euh... pour la cigarette ?

Il a cherché dans les poches de son pantalon (mal taillé, un tissu synthétique, pouah, ça devait être insupportable avec cette tem-

pérature) et en a sorti un paquet de Lucky
Strike qu'il m'a tendu en souriant. Il était
plein.

— J'exagérerais sûrement si je vous en
prenais une deuxième.

— Bien sûr que non, je suis très honoré au
contraire, un grand avocat comme vous, si je
peux vous rendre service ! Je m'appelle Léo
Fitch, enchanté monsieur Schwartz.

J'ai pris les deux cigarettes tandis qu'il
approchait déjà la flamme de son briquet. J'ai
tiré une bouffée, hmm que c'était bon, un
délice, un nirvana, eh oui Graziella, si tu
savais à quel point je t'emmerde !

Maintenant, le jeu était terminé : j'allais
pouvoir laisser Léo et retrouver Eden.

— Merci Léo, vraiment. A une autre fois
peut-être ?

Je suis parti sans attendre sa réponse.
Durant ma petite escapade, je n'avais jamais
quitté Eden des yeux. Je revenais triomphant
puisque nous avions désormais deux choses
en commun, cette cigarette que l'on fumerait
ensemble, et Bijou Sumner, qui fournirait un
sujet de conversation idéal.

Le ciel s'était légèrement obscurci. Eden

entortillait ses cheveux autour de son index. De l'autre main, elle se tenait le ventre comme si elle avait mal. Je me suis assis à une distance raisonnable pour qu'elle se sente rassurée, qu'elle comprenne que je ne tenterais pas de la toucher. Une larme ronde descendait sa joue gauche. A ce moment précis, un doute m'a traversé l'esprit. Eden était une femme forte, déterminée, un tempérament. Celle-ci semblait si vulnérable ! Pouvais-je m'être trompé ? Être abusé par mon désir d'Eden ? Sa manière de se tenir courbée, ployée, était si bouleversante.

— Ainsi, ai-je tenté, vous connaissez Bijou.

Elle a tressailli et, pour la première fois, son regard est devenu consistant.

— Je la connais aussi. Je suis son avocat. Enfin, je l'ai été.

Elle a froncé les sourcils. De ravissants sourcils, un ton plus foncés que ses cheveux, en accents circonflexes. Elle restait muette, mais je la sentais attentive, concentrée. Elle a écrasé son mégot avec application.

J'ai réfléchi quelques minutes. Je venais de lui apprendre qui j'étais. Une simple question à Bijou et elle aurait mon nom, effaçant tous les efforts des derniers mois pour conserver le secret. Et puis quoi ? Le seul risque, c'était que Graziella soit informée de mes activités nocturnes, eh bien, qu'elle sache tout ! Ma décision était prise, j'entamerais la procédure de divorce dès demain. Je suis un garçon raisonnable, et pour le bien de Jack et Amy, je me montrerais généreux. Elle pourrait couler des jours heureux avec Arno, à condition, cela va sans dire, que ce dernier trouve un nouveau boulot dès le mois prochain, car on ne peut tout de même pas baiser la femme de son meilleur ami et encaisser ses stock-options. Bon débarras ! A Graziella je ne devais qu'une chose : avoir cru en moi lorsque je n'étais encore qu'un petit avocat commis d'office et m'avoir épousé, bien avant l'affaire Sumner : cela méritait un beau cadeau.

— L'avocat de Bijou ?

Cette voix indéfinissable, ronde sans être sensuelle, posée sans être sérieuse. Merveilleuse.

— Oh c'est vieux... Onze, douze ans...

Mais un procès de ce calibre, on a toujours l'impression qu'il s'est plaidé hier !

— Je ne suis pas au courant.

— Ah ? Pourtant...

Elle a réfléchi, puis a demandé :

— Quel procès exactement ?

Après tout, elles ne se connaissaient peut-être que de loin. Et puis Eden était très jeune à l'époque du procès, il était possible qu'elle n'ait pas été exposée à l'affaire.

J'ai commencé à raconter. Elle se taisait, mais ses yeux ne cessaient de changer d'expression, de la stupeur à l'effroi et l'incrédulité.

Je n'ai pas donné les détails : j'ai juste dit que la petite avait fait une chute et je n'ai pas parlé du garçon dans la cour. Je voulais surtout lui faire savoir que c'était grâce à moi si Bijou avait échappé à la peine de mort, mais aussi touché une somme assez rondelette de dommages et intérêts, d'ailleurs, peut-être Eden savait-elle à quoi Bijou avait employé cet argent ? Ça j'avoue en être curieux, est-elle partie pour un tour du monde ? A-t-elle acheté un appartement ? Elle avait de quoi se refaire une vie toute neuve, gommer son passé – cela dit, à voir la manière dont elle était habillée ce soir, on pouvait douter qu'elle ait changé de métier, mais je me suis abstenu d'en faire le commentaire.

— J'ignorais tout, a-t-elle chuchoté. Elle n'a jamais rien dit. Rien !

Elle paraissait anéantie. Je ne voyais vraiment pas pourquoi.

— C'est une fille bizarre, cette Bijou. Au procès, elle m'a rendu dingue. Elle faisait tout à l'envers. C'est pas grâce à elle qu'on a gagné...

J'espérais qu'Eden répondrait, se détendrait, donnerait son avis, mais elle s'est replongée dans son mutisme. Nous sommes restés ainsi côte à côte pendant un long moment. Je cherchais comment renouer le contact, revenir à elle, l'atteindre, en vain, elle semblait plus loin, plus inaccessible encore qu'au début de notre conversation. Jamais, de toute ma vie, je ne m'étais senti si impuissant.

Puis alors que je m'étais presque habitué à cette proximité étrange, elle s'est levée, a esquissé un sourire embryonnaire, un sourire de politesse qui m'a écrasé le cœur, et a gravi les marches deux à deux pour entrer dans l'église.

Naomi III

Je tournais la question dans tous les sens. Sa paie !

Elle s'était bien foutue de moi. « *J'ai choisi* », qu'elle m'avait dit. « *Je t'expliquerai plus tard.* » Et de quel droit Bijou ? D'où te vient cette idée obscène qu'on peut trucider ceux qu'on prétend aimer et s'en tirer avec un « je t'expliquerai plus tard » ?

Les mélopées échappées de l'église ajoutaient à mon désespoir. Je me suis souvenue d'un reportage de guerre, il y a des années, quelques minutes volées sur le poste de Gecko et cette expression que je ne connaissais pas : bombe à fragmentation. Bijou m'avait traduit, une bombe à fragmentation, c'est une bombe qui en largue plein d'autres, un truc dégueulasse qu'on te balance et après, ça t'explose tout de l'intérieur.

Tu connaissais bien le sujet, Bijou. Tu en avais une belle, une grosse, de bombe à fragmentation. Et maintenant, elle explosait dans ma tête, elle me bousillait tout, elle piétinait l'avenir auquel je m'étais mise stupidement à croire depuis quatre heures de l'après-midi.

Choisi. De deux choses l'une : soit c'était un mensonge colossal qui durait depuis dix ans, soit Bijou était complètement déjantée, la liberté lui avait brûlé le cerveau. Dans les deux cas, que restait-il à faire, sinon mourir ? Je n'avais qu'elle, alors autant dire que le monde s'écroulait. Et pour achever le tableau, un type plus que bizarre venait de s'asseoir à côté de moi et s'évertuait à me prénommer « Eden » en me contemplant comme si j'étais une glace à la pomme.

J'ai d'abord pensé à un client de Tony à cause des traces de sang et de son arcade sourcilière ouverte, encore suintante : il s'était probablement battu. Mais j'avais beau chercher, creuser ma mémoire, son visage ne m'évoquait rien, et puis les clients de Tony m'appellent Naomi et n'ont pas du tout cette allure. Il était bien habillé et s'exprimait sur un ton maniéré, en arrondissant ses mots. Je lui ai demandé une cigarette : il fallait que je fume quelque chose, n'importe quoi, même de l'eucalyptus ou de la corde, alors il pouvait bien me baptiser Eden ou Ashley ou ce qui lui ferait plaisir s'il m'en trouvait une !

Il m'a jeté un regard oblique, puis a lâché :

— Je vais en rapporter une. Un instant.

C'est idiot, ça m'a fait quelque chose cette expression, « un instant ». Aussi loin que je m'en souvienne, c'était la première fois qu'on s'adressait à moi aussi poliment. Il s'est levé. Je ne l'ai pas regardé, mais du coin de l'œil j'ai aperçu sa silhouette s'éloigner. J'ai juste eu le temps de penser qu'aucun fumeur n'accepterait de donner une cigarette un jour pareil, quand Bijou a surgi. Elle a tendu sa main.

— Ne reste pas là, Naomi, ça me fait peur. Viens dans l'église, on va parler.

La douleur m'a piqué les yeux, mais j'ai tenu bon.

— J'en ai rien à foutre de tes explications. J'en connais pas une qui vaille le coup de m'avoir menti pendant tout ce temps.

— Ecoute, Naomi...

J'ai planté mes yeux dans les siens.

— Dégage, sale pute.

Elle est devenue blanche.

— D'accord, on verra ça plus tard, et elle est repartie vers l'église.

Je me suis d'abord sentie soulagée, mais ça n'a pas duré. Comment avais-je pu être aussi cruelle ? J'ai écouté ses pas s'éloigner et la porte se fermer. Le vide s'était fait dans mon ventre, aspirant ce qui me restait de force. J'avais envie de vomir, les cailloux magiques me manquaient comme jamais, j'ai pensé au chagrin, ce mot que Bijou m'avait expliqué à mon arrivée chez Tony. On se parlait surtout par gestes, à l'époque. Elle indiquait mon cœur et se tordait les mains, « chagrin, Naomi, chagrin ».

Elle m'avait enseigné l'anglais avec patience. On avait commencé par l'essentiel, de quoi comprendre les clients – pour ça, il suffisait de peu. Puis j'avais appris à désigner ce qui était à portée de regard. Bijou avait montré chaque objet mille fois jusqu'à ce que je prononce correctement : « Répète, Naomi, le lit, la chaise, le verre », et lorsque j'avais su tous ces noms, on était passées aux détails, j'avais appris la poussière, le grain, la boue, la goutte, le trou, le plein, le vide, le sale, le propre. Elle inventait des histoires pour remplacer les livres et tout ce qu'on ne pouvait pas voir, ce qui appartenait au reste du monde, de l'autre côté du mur d'enceinte. Elle avait de l'imagination. En moins d'un an, je parlais couramment.

Dix années d'attention et d'amour. Est-ce parce que nous n'avions rien d'autre à faire qu'à jouer au professeur et à l'élève que nous étions devenues si proches ?

— Ainsi, vous connaissez Bijou, a fait la voix du type à la gueule cassée.

Que cette journée était étrange. Cette fois, j'ai regardé l'homme en face. Quelque chose me gênait dans son expression sans que je puisse dire quoi. Il tendait une cigarette en souriant légèrement, comme s'il se retenait. Puis il s'est mis à parler et ce qu'il a raconté, mon Dieu, c'était l'histoire la plus impossible à entendre, une histoire pour me mettre en morceaux et me briser le cœur. Ce type cabossé et poli prétendait être l'avocat de Bijou. De sa voix grave et chaude, il prétendait que Bijou, ma Bijou, voici presque douze ans, était la mère d'une petite fille. Il racontait la chute mortelle de la petite aux cheveux bouclés, il précisait, des cheveux blonds, ce petit ange qui a fait pleurer l'Amérique, « Souviens-toi Eden ! »

Elle était tombée du troisième étage d'un immeuble de Brooklyn, dans une cour intérieure. Elle s'était écrasée parmi les plantes, blond des cheveux, blanc de la peau, rouge du sang sur les feuillages vert clair. « Tout le pays a vu cette photo, Eden ! »

Mais ce pays n'était pas le mien. Je l'écoutais. Il n'a pas dit le prénom de l'enfant, ni son âge, seulement que Bijou était accusée de négligence ou d'autre chose dans ce genre, et qu'il l'avait sortie de ce bourbier. Il a dit que ça n'avait pas été simple, que les jurés aiment les bonnes mères et que Bijou n'avait pas exactement, voire pas du tout, le profil d'une bonne mère, et que par-dessus tout, elle avait fait preuve d'une « ahurissante » mauvaise volonté.

Il a parlé pendant un bon moment, puis il s'est tu. Il attendait que je réagisse, mais je ne savais même plus comment ouvrir la bouche.

Le soir s'était épaissi, le grondement des voitures diminuait, je n'entendais plus grand-chose, de toute façon. J'ai monté les marches deux par deux. Dans l'église, je l'ai aperçue qui priait, agenouillée au côté d'une jeune femme devant la sacristie. Les boucles caressaient la base de sa nuque. Ses boucles blondes.

Comment a-t-elle su que j'étais là ? Elle s'est tournée vers moi puis s'est levée, lentement, et s'est inclinée face à l'autel avant de me rejoindre. Elle semblait si triste.

— Alors tu es venue, a-t-elle murmuré.

— Je suis venue te parler de ta fille.

Elle a vacillé et porté la main à sa poitrine.

— C'est Joaquin, n'est-ce pas ?

— Non. Ton avocat.

Ses jambes, son bassin puis tout son corps se sont affaissés subitement. Elle a glissé le long du mur tandis que les larmes dévalaient ses joues.

— Alors tu as vu ce sale con. Il est là, dans cette église.

— Il est dehors. Et il m'appelle Eden, je me demande bien pourquoi.

Elle n'a pas relevé ce truc bizarre. Je la sentais flotter et trembler à la fois.

135

— Donc, tu sais, a-t-elle énoncé en détachant chaque syllabe. Enfin, une partie. Tout, tu ne peux savoir. Tout, il ne le sait pas lui-même.

Elle a inspiré en profondeur, pour contenir ses sanglots :

— Elle s'appelait Naomi.

— Oh non.

— Lorsque Tony m'a avertie de ton arrivée, j'ai cru à une coïncidence. Mais après quelques semaines, il m'a avoué que ce n'était pas ton prénom. Qu'il avait choisi de t'attribuer celui-là, soi-disant pour m'aider.

Elle a soupiré.

— Tony est joueur. Et à l'époque, il m'aimait bien.

Mon Dieu. Tony t'aimait bien, Bijou... J'en ai mal à la tête, simplement d'aligner ces trois mots.

— Naomi n'avait pas deux ans. C'était un bébé. J'allais mal. J'étais au fond, pire qu'au fond lorsque c'est arrivé. Assieds-toi tu veux ?, je vais te raconter.

Bijou vivait sur la 80e Rue avec ses parents, des chercheurs, des généticiens, a-t-elle précisé, comme si je pouvais comprendre ce terme. Elle était une élève sérieuse et voulait devenir professeur. Elle portait des jolies robes, toujours en dessous du genou, et jouait au bowling avec ses amies. C'est au bowling qu'elle a rencontré le garçon d'Alphabet City.

— Alphabet City, il y a quinze ans, crois-moi, c'était un drôle de coin, pas fréquentable pour une fille de la 80ᵉ. Mais je trouvais ça poétique. « Poétique », je ne t'ai pas appris ce mot-là, bébé ? C'est un tort.

Le garçon se prénommait Sean. Il n'était pas très grand, ni très beau. Il travaillait par-ci, par-là pour payer une chambre minable au-dessus d'un restaurant minable qui vendait des hot-dogs mous et des ailes de poulet frites dans de l'huile de vidange. Mais Sean jouait de la guitare mieux que Brian Jones et écrivait des chansons qui parlaient de Bijou, et Bijou se moquait de l'odeur de friture, se moquait des cafards dans la chambre. Bijou fumait de l'herbe avec Sean et s'envolait très haut.

— Brian Jones ? Qui est-ce ?

— Je t'en parlerai une autre fois. Ecoute.

Ses parents ont dit, ce n'est pas une fréquentation, Bijou, interdiction de revoir ce malpropre qui n'a pas été fichu de terminer l'école.

Elle est partie le soir de ses vingt et un ans sous une pluie battante, avec un sac de sport rempli de vêtements. Elle s'est installée avec Sean dans la petite chambre. Le jour, ils travaillaient chacun de leur côté, elle avait trouvé une place de serveuse dans un *diner*. La nuit, ils se rendaient dans les quartiers touristiques et il chantait ses chansons en s'accompagnant tandis qu'elle tendait une casquette.

— C'était l'amour, bébé L'amour fou. Tu vois ?

Bien sûr que non, Bijou, je ne vois pas. L'amour, je n'en ai qu'un début d'idée. Deux fois dans ma vie, quelqu'un a compté pour moi plus que tout, ma mère, puis toi : c'est tout ce que je sais de l'amour. Mais voici que tu me parles de ce Sean, et l'espace d'une phrase, on dirait que tu as oublié d'où je viens, qui je suis. L'amour d'un homme, je n'en connais que ce que je lis dans tes yeux, dans les inflexions bouleversées de ta voix. Pour le reste, souviens-toi, je n'ai appris que la haine, la souffrance de mon corps, l'odeur de mon dégoût.

Sean portait les cheveux longs et des lunettes rectangulaires avec un bord épais. Il était maigre et pâle, tandis que Bijou était rose, avait la peau douce et les lèvres pleines. Elle était fraîche et belle, et les hommes la sifflaient dans les rues d'Alphabet City lorsqu'elle partait prendre son service. Elle était heureuse en nettoyant le sol à l'aube, heureuse en vendant ses hamburgers noyés de mayonnaise, heureuse en guettant la silhouette de Sean derrière la porte vitrée, à la fermeture, la guitare dans le dos. Elle n'a pas vu qu'il se creusait. Trop occupée à son bonheur, elle n'a pas entendu qu'il gémissait, enfermé dans les chiottes.

— Toi, Bijou ? Toi qui devinais le plus petit de mes chagrins ? Toi qui entends même ce qu'on ne dit pas ? Tu n'as rien vu ?

Il perdait du sang depuis quelque temps. Sans se plaindre, pour ne pas inquiéter Bijou, pour s'obliger à croire que ce n'était rien, et surtout parce qu'ils n'avaient pas d'argent pour les frais médicaux. Il s'est évanoui un soir au milieu d'une chanson. Bijou pleurait, l'embrassait, le giflait sans pouvoir le ranimer, injuriait les touristes agglutinés. L'ambulance les a conduits ensemble à l'hôpital, puis il a disparu derrière une double porte, sur un brancard poussé par des infirmiers silencieux.

— Trois semaines plus tard, c'est à moi qu'ils ont dit qu'il avait cette saloperie. Que c'était partout dans son corps. C'était la fin du monde, tu comprends, Naomi ? Ce mois-là, je n'ai pas eu mes règles, mais j'y ai à peine pensé, j'ai mis ça sur le compte du choc.

Il lui a fallu un cycle supplémentaire pour comprendre qu'elle était enceinte Ses seins avaient doublé de volume. Elle avait la nausée et toujours pas de règles.

— Il était heureux quand je lui ai annoncé. Il pensait encore qu'il pouvait guérir. Qu'à nous deux, on finirait par repousser la maladie, que l'amour est plus fort que la mort. Foutaises, bébé.

Elle ne gagnait pas assez pour les traite-
ments, même pas de quoi lui payer une
chambre correcte. Et lui réclamait sa présence, perdait le sens du temps. Elle est
retournée sur la 80ᵉ et a demandé pardon à
son père, pourtant, pardon de quoi ? Cela lui
coûtait, mais ce n'était pas cher puisque
c'était pour Sean.

Le père a rétorqué : « C'est pas mon problème, Bijou. Tu voulais être une grande
fille, alors maintenant, débrouille-toi. »

Sur les trottoirs d'Alphabet City, elle avait
beau pleurer en retournant chez elle, les
hommes continuaient à la siffler. Malgré ses
cernes et son désespoir, Bijou était toujours
aussi belle.

— La première fois, c'était comme un
cauchemar. Je fermais les yeux et je serrais
les poings si fort que mes ongles se sont
plantés dans mes paumes. Mais lorsque je
suis arrivée avec tous ces billets auprès de
Sean, lorsque je lui ai dit qu'il allait changer
d'hôpital, qu'il aurait les meilleurs traite-
ments, qu'on essaierait même ces trucs chi-

nois à trois cents dollars le flacon, si tu avais vu son expression... Et puis, je ne t'apprends rien. On finit par se détacher le corps et l'esprit, et on attend que ça se passe.

Sean l'a crue lorsqu'elle a dit que sa famille avait donné l'argent. Il avait envie de vivre, alors il n'a pas demandé le détail. Elle était près de lui dans la journée, elle lui tenait la main, lui caressait les tempes, lui chantait ses propres refrains. Il dormait la plupart du temps, et quand il se réveillait, il disait qu'il l'aimait.

Le ventre de Bijou s'est arrondi, mais des types tordus qui aiment ce genre de truc, il y en a par pelletées, et qui sont prêts à doubler le tarif. Elle était presque riche.

Sean allait mieux, puis moins bien, puis soudain, encore moins bien. Il n'avait plus que la peau sur les os.

— Ah, disait le chirurgien. Si on avait repéré ça plus tôt, mais là, que voulez-vous...

Des fragments de souvenirs revenaient heurter Bijou. Sean plié de douleur une nuit. Sean vomissant du sang.

— Je n'ai rien vu. Comment ai-je fait pour ne rien voir. C'est ma faute.

Il est mort alors qu'elle entrait dans le hui-
tième mois. Il avait choisi le prénom la veille,
et le même jour il avait énoncé ses dernières
volontés : être incinéré avec sa guitare. Bijou
n'avait pas tenté de nier : cette fois, il savait,
lui aussi. Dans la chapelle funéraire, seule
avec son gros ventre, Bijou voulait mourir et
priait Dieu d'y pourvoir.

Le soir venu, elle a été prise des premières
contractions alors qu'elle venait de s'effondrer sur son lit ; elle a accouché dans la nuit.
La vieille femme qui vivait dans la chambre
voisine avait prévenu les secours.

Le surlendemain, lorsqu'elle est rentrée
avec son bébé, le loueur a prévenu Bijou qu'il
n'acceptait pas les enfants et qu'il faudrait
vider les lieux avant la fin du mois.

— Va sur Delancey, a conseillé la vieille
femme. Tu trouveras une église, tout près du
Williamsburg Bridge. Demande le père Joaquin. C'est un homme bon. Il te viendra en
aide.

Bijou a rassemblé ses affaires. Ses seins et
son ventre la faisaient souffrir, elle avait
dépensé ce qui lui restait d'argent pour régler

l'urne de Sean et acheter langes et vêtements pour Naomi. C'était une minuscule petite fille, à peine plus de deux kilos, qui pleurait beaucoup, laissant sa mère désemparée.

Elle a pris le sac de sport sur l'épaule et son bébé dans les bras, puis a marché jusqu'à l'église. Elle était facile à trouver : dans le quartier, tout le monde semblait connaître et aimer le père Joaquin.

— Alors, voilà comment tu l'as connu.

— Il a dit qu'il prierait pour nos âmes et a fait venir Carmenita. Elle a pris soin de nous, elle était si patiente. Elle m'apprenait à m'occuper du bébé et me faisait à manger. On dormait avec elle, dans ce petit appentis, derrière l'église. Mais tu sais, moi je ne faisais que pleurer, et pleurer, et encore pleurer, et Naomi pareil. Joaquin et Carmen, ils m'ont portée comme on porte un enfant pour l'empêcher de se noyer, seulement noyée je l'étais déjà, j'étais noyée en Sean.

Bijou n'avait plus de désir, plus de volonté, plus d'amour. Bijou allait là où Joaquin disait d'aller. Il a suggéré qu'elle s'installe à Brooklyn, pas très loin de Greenpoint. Là-bas, un de ses amis la logerait, elle et sa petite fille ; elle paierait son loyer avec des travaux de couture. C'était un studio tout confort c'est-à-dire doté de l'eau courante, situé au troisième étage – le dernier, en fait. Peut-être qu'une autre qu'elle, dans ces conditions-là, aurait su vivre. Elle avait un bébé, et tout le monde lui répétait cent fois par jour : voyons Bijou, cette enfant, n'est-ce pas la plus belle raison de t'en sortir ?

Mais le bébé ne cessait de pleurer. Le bébé grandissait, et Bijou était vide. Bijou n'était rien, ou Bijou était Sean, au choix. Le bébé grandissait, Bijou cherchait dans ses traits ceux de Sean, mais c'est à elle que la petite fille ressemblait. Elle qui n'avait rien vu. Le bébé grandissait, boucles blondes, portrait craché, et Bijou se recroquevillait. La petite fille criait et Bijou se murait. Elle cousait.

Le père Joaquin lui rendait visite avec Carmenita. Il serrait la fillette contre lui, chuchotait des paroles rassurantes. « Elle ira bientôt mieux ta maman, tu verras. »

Bijou n'allait pas mieux, loin de là. Les jours passaient et son propre vide la rongeait comme l'acide. La petite fille avait vingt mois, c'était un 4 juillet, il faisait chaud presque autant que ce soir, l'air était lourd et les fenêtres grandes ouvertes. Naomi pleurait, elle hurlait depuis le matin, couvrant presque le bruit des pétards jetés par les gamins qui jouaient dans la cour.

L'acide de son chagrin avait fini de dévorer Bijou lorsqu'un type a gratté sa guitare dans l'appartement du dessous, « *Think, think back a bit, girl, think, think, think back baby, tell me whose fault was that, babe*[1] ».

Alors, lentement, elle a soulevé la petite fille qui pleurait à ses pieds, s'est approchée de la fenêtre, a tendu les bras le plus loin possible, puis l'a laissée tomber.

Le corps s'est enfoncé dans les plantes. Le son sourd des feuilles déchirées. Pas un cri, hormis ceux des garçons aux pétards.

Sur Delancey, la cloche a sonné les douze coups de minuit. Bijou fixait les dalles de pierre en se mordant les lèvres. La porte de l'église s'est ouverte, laissant apparaître l'avo-

---

1. *Think*, les Rolling Stones.

cat. Il ne nous a pas vues et s'est dirigé vers des gens qui distribuaient de l'eau. De toute évidence, certains d'entre eux le connaissaient et se sont précipités pour lui serrer la main. J'avais froid, pire qu'en plein hiver.

— Je me suis penchée, a repris Bijou, les yeux toujours rivés au sol. J'ai vu mon bébé immobile. Ecrasé. Et pour la première fois, je me suis réveillée de Sean.

Elle est descendue dans la cour, où les gamins formaient un cercle épouvanté autour de l'enfant mort.
— Pour la première fois, a murmuré Bijou, j'ai su qu'elle ressemblait à Sean.
— Bijou...
— Ne dis rien s'il te plaît. Ce que tu penses est forcément juste, comme il est sans doute juste que je te perde, après ce que tu auras appris ce soir.

La police l'a emmenée aussitôt. Ils étaient d'abord dix ou vingt à témoigner contre elle, puis d'autres se sont proposés, tous ceux qui jalonnèrent son existence. Qui ignorait qu'elle était folle ? Qui ignorait quelle mauvaise femme, quelle mauvaise mère elle était ?

Un voisin du deuxième avait pris une photo, corps désarticulé et boucles blondes sur le fond vert, lumière d'été. Tous les journaux d'Amérique publièrent le cliché.

Ses parents ont offert de payer sa défense, mais Bijou a refusé. Alors, on a commis d'office un certain Simon Schwartz, un débutant qui a promis : « Je m'occuperai de tout, mais ne dites pas un mot. » C'était facile de se taire : Bijou ne savait plus parler, de toute façon, même au père Joaquin qui la visitait en prison. Elle se bornait à attendre le procès. Elle n'entendait rien, ne voyait rien. Ni les journaux dont elle faisait la une, ni la télévision, ni les commentaires des autres détenues. Elle ne pensait plus, ne rêvait plus. A quoi bon ? L'unique conclusion possible s'était écrite le 4 juillet précédent : elle serait condamnée à mort, et c'était bien ainsi.

— Donnez-moi des détails, insistait Schwartz. Où étiez-vous précisément par rapport à la fenêtre : cinquante centimètres ? Plus ? Moins ? Qu'avez-vous entendu ?

Bijou continuait à se taire. Les détails,

quelle importance ? Elle les avait oubliés. Simon Schwartz s'agitait, relisait les rapports de police, payait de sa poche des détectives, interrogeait les voisins, mesurait des distances, enregistrait des bruits puis surgissait devant Bijou dans un état de surexcitation extrême : « On va y arriver, vous verrez, on les aura ! »

Le procès a duré sept semaines. Sept semaines d'absence pour Bijou, ou presque. Quand le juge posait une question, elle répondait : « Je ne sais pas », et c'était la vérité. Elle ne savait plus rien, sauf qu'il fallait payer. Elle n'écoutait ni ceux qui juraient l'avoir vue se prostituer enceinte, ni ceux qui racontaient combien elle était pieuse et bonne, elle qui cousait pour les nécessiteux.

C'est seulement sur la fin, alors que l'avocat serrait sa main en chuchotant : « Vous voyez ? On y est ! », que des cris l'ont tirée de sa torpeur. Le jury venait de conclure à son innocence et à la responsabilité d'un garçon de seize ans, pour avoir fait éclater des pétards au mépris du règlement intérieur de l'immeuble et avoir ainsi causé la chute de la petite fille, en surprenant sa mère.

Schwartz venait de démontrer que Bijou était une victime. Une femme prostrée qui avait perdu son enfant par la faute d'un sale gosse, fils d'une héroïnomane noire et célibataire – la cause n'était pas si difficile à défendre.

Bijou était libre et perdue comme jamais. Elle n'était plus une meurtrière, seulement une imprudente qui s'était bêtement penchée à la fenêtre avec son bébé dans les bras. Le pays refusait de la condamner, n'était-elle pas assez frappée par le malheur ?

Schwartz exultait. Tandis que Bijou crachait son refus du verdict, il lui tendait une coupe de champagne.

Ce soir-là, elle n'est pas rentrée chez elle. Elle a continué à marcher au hasard dans les rues de Brooklyn, traversant les carrefours à l'aveugle et espérant en vain qu'une voiture finirait par la renverser.

Ce soir-là, Tony était en balade dans le coin. Il lui manquait une fille, la précédente était morte d'une overdose deux jours plus tôt et les prochaines n'arriveraient pas avant des mois. Il a ralenti en passant à la hauteur de Bijou : à sa démarche, il savait déjà que c'était une paumée, et puis sa silhouette lui était vaguement familière. Elle s'est retournée et il l'a reconnue, c'était la pute enceinte d'Alphabet City, une jolie pute d'ailleurs, c'est ce qu'il lui a dit en négociant ses services.

Bijou a suivi Tony. Elle a construit sa prison et son châtiment. Elle a demandé à Tony : ne me laisse jamais sortir de là.

Il a haussé les épaules. Chaque mois, elle envoyait son argent au père Joaquin.

— Un matin, Tony m'a prévenue de ton arrivée. Il a dit : « Je sais que tu n'as peur de rien. Mais si tu prononces un seul mot, si tu commets un seul acte contraire à mes intérêts, c'est elle qui souffrira. Je l'écraserai comme un cafard, voilà ce que je ferai. »

L'avocat avait presque disparu, entouré par une dizaine de curieux captivés. De temps en temps, je voyais sa tête dépasser et son regard balayer l'église. Je savais qu'il me cherchait. Je savais tant de choses, désormais. Les chants avaient cessé. La plupart des gens s'étaient endormis, allongés sur la pierre fraîche et veillés par le père Joaquin dont l'ombre se promenait à pas lents entre les travées. De temps en temps, de plus en plus rarement compte tenu de l'heure tardive, la porte de l'église s'ouvrait et laissait passer un nouvel égaré, un homme en bleu de travail, une serveuse avec son tablier, un vieil homme accompagné d'un jeune Chinois dépenaillé.

Bijou était à nouveau silencieuse. En passant près de nous, le Chinois s'est arrêté un instant, j'ai cru qu'il allait me parler. Il avait les traits fins, peut-être vingt-cinq ou trente ans, et quelque chose d'aussi beau que naïf qui m'aurait fait du bien si j'avais eu la force d'être encore émue. Sans savoir pourquoi, je lui ai souri. Et j'ai cru qu'il allait sourire à son tour, mais le vieil homme l'a tiré par le bras et entraîné plus loin.

Alors je me suis mise à prier un Dieu dont je ne connaissais rien.

Canal III

En approchant du bâtiment, j'ai vu la croix fichée dans la façade. Ainsi, il s'agissait d'une église ! Je connaissais peu de chose sur la religion chrétienne, mais j'avais appris l'essentiel en écoutant à la radio les déclarations des évangélistes et celles des hommes politiques. Il y était question d'aimer son prochain comme soi-même, précepte aussi réconfortant que surprenant si l'on s'en tenait aux réflexions souvent émises par les mêmes personnes à propos des étrangers, ou encore à ce que je savais de l'histoire des Etats-Unis.

Une seule fois, j'avais interrogé le grand-père sur ces contradictions. C'était après avoir déniché dans les stocks un film intitulé *Devine qui vient dîner ce soir* : je venais de faire la découverte stupéfiante qu'en une époque récente, Noirs et Blancs vivaient de manière séparée et, pire, opposée – aux dépens des Noirs.

— Grand-Père, toi qui vis en Amérique depuis si longtemps, sais-tu si ce qui est raconté dans ce film est réellement arrivé ?

— Dix ans avant ta naissance, Canal, les mariages entre Blancs et Noirs étaient encore illégaux dans le tiers du pays. Et trente ans plus tôt, les Blancs interdisaient aux Noirs de manger dans leurs restaurants ou de s'asseoir dans leurs autobus. Ce comportement te montre combien cette nation prétentieuse est peu civilisée. Mais en quoi cela peut-il t'inté-resser ? Tu n'es ni blanc ni noir, et tu as du travail. Pff ! Hâte-toi avant que je me serve de ma canne !

Des gens étaient allongés sur le trottoir, la plupart endormis. D'autres discutaient à voix basse sur les marches. A l'écart, un homme âgé fumait en observant les alentours. Je l'ai interpellé.

— Pardonnez-moi de vous déranger, monsieur : je cherche quelque chose à boire. Sauriez-vous...

— Mon pauvre garçon. Dans quel état es-tu ! Décidément, je ne croise que des têtes cabossées ce soir.

Son regard était plein d'une inquiétude sincère.

— Tu trouveras ce qu'il te faut ici. Le prêtre fait distribuer de l'eau. Veux-tu que je t'accompagne ? Je regarde les embouteillages, mais à cette heure-ci, il y en a beaucoup moins : ce n'est plus si intéressant.

Il m'a tendu la main.

— Je m'appelle Léo. Eh bien, raconte-moi, que t'est-il arrivé ? Cette journée est particulière. Une sacrée bonne journée, si tu veux mon avis. Je n'ai pas vu tant de monde depuis des années. Vois-tu, je suis veuf. Et depuis que mon fils s'est installé au Nou-veau-Mexique, je me trouve bien seul. Mais aujourd'hui, tout le monde s'entraide, tout le monde parle à tout le monde. Sainte Panne, j'ai même fait la connaissance de Simon Schwartz !

A l'écouter je songeais que je n'avais pas perdu grand-chose en choisissant de vivre reclus dans la boutique. Quelle sorte de peuple pouvait à ce point manquer de respect à ses aînés ? Ne doit-on pas vénérer les anciens, protéger les vieillards, faire de son mieux pour leur procurer satisfaction ? Le premier des bonheurs n'est-il pas d'avoir ses parents en vie ? A plus forte raison, la perte de l'un n'exige-t-elle pas de chérir l'autre encore plus ?

— Chacun sait que les enfants doivent faire preuve de piété filiale, ai-je déclaré au vieil homme. Leur devoir est de protéger leurs parents et de subvenir à leurs besoins. Votre fils ne doit pas être un bon fils, pour s'être tant éloigné de vous.

— Tu te trompes, a rétorqué le vieil homme avec une fermeté tranquille. Il a trouvé un emploi là-bas et travaille dur pour nourrir sa famille. Je lui envoie ce que je peux, mais je ne suis pas riche, alors il doit se débrouiller. Chez nous, ce sont les parents qui veillent sur les enfants, non l'inverse.

Je n'ai rien ajouté. Au fond, la vérité était peut-être entre nous deux. Je me souvenais d'un entretien du Maître dans lequel il évoquait ses désirs, au nombre de trois : que toutes les personnes âgées puissent vivre en paix et bien soignées, que les amis s'accordent une confiance réciproque et que les jeunes enfants soient choyés et toujours entourés d'affection.

— Allons, a repris le vieil homme. Tout cela n'est guère important. Je vais te présenter au père Joaquin. Et puis, je préférerais que tu m'appelles Léo, si ça ne t'ennuie pas.

Nous sommes entrés ensemble dans l'église. Il y avait là une atmosphère inconnue et mon corps, mon esprit se sont mis à fourmiller de sensations nouvelles impossibles à décrire. Les odeurs, les bruits, les nuances d'ombre et de lumière m'enveloppaient d'un voile de bien-être, comme la caresse d'une soie de Chine. Près de nous, deux femmes étaient assises côte à côte, appuyées contre le mur. L'une, aux cheveux bouclés, avait le visage caché entre les genoux, mais l'autre a levé la tête lorsque nous sommes passés à sa hauteur. Elle avait des iris bleu pâle, une couleur dont j'ignorais même qu'elle existât.

Ses traits étaient délicats, ses joues creusées, cependant, malgré les traces d'une grande fatigue, elle était si belle que j'ai dû m'arrêter pour reprendre mon souffle. J'avais souvent vu de jolies passantes. J'avais parfois été troublé par une silhouette, un geste ou l'accent charmant d'une cliente qui éveillait mes sens et me rappelait mes limites. Mais la peur de m'écarter de la Voie m'avait protégé de mes faiblesses : le Maître ayant déploré en son temps que l'être humain s'intéressât plus à la beauté qu'à la vertu et l'homme jeune plus à sa sexualité qu'à son devoir, j'avais résolu de ne jamais fléchir. Alors pourquoi, cette nuit-là, étais-je sensible à un simple regard ?

Car la jeune femme a planté ses yeux dans les miens, et m'a souri. Différente, ailleurs ou au-delà, imparfaite et magnifique, unique étoile dans mon ciel aveugle, ses lèvres ont bougé de quelques millimètres et m'ont retourné l'âme. Ce que je ressentais était si singulier, comme si nous étions deux membres d'une même famille, comme si je la reconnaissais, elle que je n'avais jamais vue ! Ce n'était pourtant ni une sœur ni une amie, et je ne pouvais dire que je l'aimais, ou que je la désirais ; mais par cette simple apparition je me trouvai suspendu dans l'instant, comme sorti de ma propre vie.

— Eh bien, a fait Léo. Je croyais que tu avais soif. Le père Joaquin est là, viens donc avec moi !

J'ai sursauté. Un peu plus loin, un attroupement s'était formé.

— Là, c'est lui, de dos. Tu le vois ? Il remplit les verres. C'est un géant, mais ne te laisse pas impressionner par ses breloques et tout son attirail. C'est le meilleur des hommes.

Il a plissé les yeux, scruté la pénombre, puis a repris :

— Regarde, Simon Schwartz est là aussi. Je parie que tous ces gens auraient moins soif s'il n'était pas ici. C'est ça, la célébrité !

— Schwartz ?

— Tu ne le connais pas ? Eh bien, tu as dû vivre au fond d'une mine durant les dix dernières années ! Ce type est l'avocat le plus connu des Etats-Unis d'Amérique ! Mais au fait, tu ne m'as toujours pas dit d'où tu viens ? Je ne sais même pas ton prénom !

— Je m'appelle Canal. L'immeuble dans lequel je vivais a brûlé entièrement.

Il m'a pris la main avec compassion.

— Canal ? Oh mon Dieu, c'est terrible. Je suis désolé. Tu avais sûrement de la famille...

— L'homme doit accepter la volonté de l'univers et se soumettre à son destin, l'ai-je rassuré. De plus, je ne suis pas à plaindre : je n'ai rien perdu car je ne possédais rien.

— Tu me parais bien sage pour un gamin de ton âge, m'a répondu Léo. Presque un peu trop.

Nous avons rejoint le groupe, enjambant des dizaines d'hommes et de femmes endormis sur les bancs ou, parfois, à même le sol. Léo a tapoté l'épaule du père Joaquin, qui s'est retourné aussitôt. Son visage me semblait familier, sans que je puisse l'identifier.

— Léo ! Enfin te voilà ! On m'a dit que tu avais passé des heures devant l'église. Sans même venir me saluer !

Puis il m'a observé.

— Et toi mon garçon, je t'ai déjà rencontré, n'est-ce pas ?

— Je ne crois pas, monsieur

— Voyons, laisse-moi te regarder de plus

160

près... Je t'ai déjà vu, j'en suis certain... D'où vient ton ami, Léo ?

— Ça je n'en sais rien, a fait le vieil homme. Tout ce que je connais de lui, c'est ce prénom pas très catholique : Canal. Quelle drôle d'idée d'appeler son enfant ainsi !

— Canal... Canal Street, oui bien sûr, c'est là que je t'ai vu, a répliqué le père Joaquin. Tu es un des vendeurs de la boutique du vieux Meng. C'est chez lui que j'achète mes lots une fois l'an, pour la vente de charité. Il me fait de bons prix. Comment se porte-t-il ?

Je n'avais aucun souvenir du prêtre, mais c'était assez logique : le grand-père veillait à servir en personne ceux qu'il supposait pouvoir lui être utiles.

— Il est mort, monsieur. L'immeuble a brûlé cette nuit avec toute la famille, en dehors de Da-Feng et du petit Zhang.

Le regard du prêtre s'est empli de compassion.

— Quelle tragédie. Alors, voilà pourquoi tu es plus sale qu'un ramoneur. Je vais trouver de quoi te changer. Mais avant, je dois voir une chose avec mon vieil ami.

Il s'est penché vers Léo.

— Léo, il y a de cela une bonne trentaine d'années, tu m'as dit que je pourrais toujours compter sur toi.

— Je m'en souviens comme si c'était hier, Joaquin. Et jusqu'à mon dernier souffle, je m'en souviendrai. Qui peut oublier ça ?

— Eh bien, ce soir, je vais te demander un service. Attends une minute, veux-tu ?

Il a agité le bras en direction de la porte. Tandis que mon cœur accélérait son mouvement à m'en briser les côtes, j'ai vu la jeune femme blonde secouer sa voisine. Elles se sont levées pour venir vers nous. La fille aux yeux pâles était si maigre qu'elle semblait avoir été dessinée d'un trait de crayon. A chacun de ses pas, une partie de mon être pensait : « La voilà, c'est elle ! » ce qui était insensé à tel point que l'autre partie me soufflait : « Canal, prends garde, ton cerveau est malade. » L'incendie ne s'était pas contenté de dévorer l'immeuble. Il m'avait envahi et continuait à brûler, léchant de ses flammes invisibles le bas de mon ventre creux.

— Approchez, toutes les deux, a fait le père Joaquin à voix basse, pour ne pas réveiller les dormeurs.

Elles se ressemblaient. Même genre de coiffure. Même genre de vêtements assez déroutants, jupes très courtes et chaussures à talons hauts qu'elles tenaient à la main. Etaient-elles sœurs ? La plus âgée avait les yeux noisette, avec des éclats jaunes.

Le père Joaquin l'a prise par le cou.

— Léo, je te présente Bijou. Ma petite protégée.

Il a indiqué l'autre jeune femme.

— Et voici Naomi qui est la protégée de Bijou, donc en quelque sorte, la mienne également.

Naomi ? Je n'avais jamais entendu ce prénom mais j'aimais déjà sa consonance douce et chantante.

— Bijou, Naomi, voici mon ami Léo.

Le vieil homme s'est redressé, plein d'une fierté visible.

— Bijou et Naomi vont devoir quitter la ville rapidement, a expliqué le père Joaquin. Je pense les envoyer chez une de mes cousines qui vit à Sacramento. Mais avec cette panne, elle est injoignable, et de toute façon il leur faudra au moins quarante-huit heures pour s'organiser. Alors je te demande de les prendre chez toi demain, et jusqu'à leur départ... si Dieu le veut.

— Elles ont des ennuis ? a questionné Léo. Pas avec la police j'espère ?

— Voyons, Léo. Je ne te demanderais rien d'illégal. Elles ont des ennuis, oui, mais avec des vermines, des bandits qui mériteraient de croupir en prison.

— Qu'ils crèvent en enfer, a chuchoté la fille aux yeux pâles.

J'ai remarqué que ses jambes tremblaient, tandis qu'elle serrait ses bras sur son torse.

— Alors, a fait le prêtre. Peux-tu me rendre ce service ?

Léo a hoché le menton.

— Dès que le courant sera revenu, je les emmènerai chez moi. Mais pas avant : je ne suis plus capable de grimper les vingt-six étages de la tour à pied.

Il a soupiré.

— Joaquin, pour les bandits, il y a Simon Schwartz dans cette église. Il pourrait peut-être aider lui aussi !

Au moment précis où Léo a prononcé ce nom – celui du fameux Schwartz, le type le plus connu des Etats-Unis d'Amérique ou presque –, la femme aux yeux noisette a été prise d'une violente nausée et a craché ce qui ressemblait à de la bile. Le père Joaquin s'est précipité pour l'aider tandis que Naomi contemplait son amie, pétrifiée.

— Je regrette, Bijou, je sais ce que cela signifie pour toi. Mais c'est la panne, le hasard de la vie ou peut-être la volonté mystérieuse du Seigneur. Figure-toi que Schwartz s'est mis en tête d'aider notre Carmenita à distribuer le pain et l'eau.

— Saint Simon Schwartz, a lâché la jeune femme sur un ton méprisant. Tu devrais avertir Carmen de se méfier. Ce salopard compte sans doute convoquer la presse pour montrer quelle sorte de héros magnifique il est.

Tous se sont tus. Naomi regardait le père qui regardait Bijou qui regardait le sol. Moi, je m'appliquais à rester immobile et à me faire oublier Dans une telle situation, la politesse aurait même commandé de se retirer avec discrétion, mais je ne pouvais me résoudre à m'éloigner de Naomi. Après tout, Mencius enseignait bien d'écouter son cœur ! Certes, il préconisait aussi de tremper sa volonté et de résister au désir excessif, et confusément je me savais coupable de choisir avec subjectivité parmi mes lectures ce qui confortait mes choix naturels. Mais j'étais désormais convaincu que ma rencontre avec Naomi était le fruit d'une indication supérieure, et déterminé à demeurer près d'elle.

C'est Léo qui a rompu le silence.

— J'ai dit quelque chose de mal ? a-t-il interrogé, décontenancé. Simon Schwartz est un salopard ?

— C'est une longue histoire, a répondu le père Joaquin. Nous en parlerons une autre fois. Léo, tu vas m'accompagner avec Canal à la sacristie. J'ai quelques cartons de vêtements destinés aux pauvres de la paroisse. Ce pauvre garçon a besoin d'être habillé avant de reprendre sa route. A propos, Canal, où te rendais-tu pour arriver ici ? As-tu de la famille dans ce quartier ?

— Je n'ai aucune famille. On m'a déposé âgé de cinq ou six jours devant la boutique du grand-père.

— Eh bien, je comprends d'où te vient ce prénom étonnant...

— Aucune famille ? a coupé Naomi sans qu'on puisse distinguer s'il s'agissait de compassion ou d'incrédulité.

— Je n'ai personne et ne possède rien, mais je suis en bonne santé. Si le ciel m'a fait naître pauvre, je l'accepte sans regret. Je ne suis pas malheureux.

Naomi a eu une sorte de sourire faible.

— Ce garçon est un drôle d'oiseau, a fait Léo. Il parle comme un livre.

— Un oiseau clandestin, a ajouté le prêtre, l'air amusé. Bien, le temps presse et nous devons repousser les questions à plus tard. Bijou, va t'asseoir sur le banc avec Naomi. Vous êtes si blanches l'une et l'autre, il faut vous reposer. Naomi, tu claques des dents. Peut-être as-tu de la fièvre ? Avec cette panne, on n'a pas un médecin sous la main....

— Ça ira, a répondu Naomi. Ça ira, vraiment.

Je voyais bien qu'elle mentait. Depuis quelques minutes, ses tremblements s'étaient accentués. Elle allait mal.

Bijou l'a prise par la taille et l'a guidée jusqu'au banc. A peine assise, Naomi s'est effondrée sur son épaule.

167

— Dépêchons-nous, a fait le prêtre en se tournant vers moi. Bijou, s'il y a un problème, tu viens me chercher, n'est-ce pas ? On va faire vite. Je te rapporterai des biscuits, elle doit prendre des forces.

— Hélas, elle a besoin d'autre chose, a murmuré Bijou.

J'étais le seul à l'avoir entendue. De quoi parlait-elle ? Était-ce si désolant qu'il faille se lamenter ? Naomi regardait devant elle, fixement, en flottaison.

Léo et le prêtre étaient déjà dix pas devant.

— Oh, Canal, tu viens oui ou non ?

Je les ai suivis : puisqu'il le fallait.

Simon IV

Je la contemplais, mon Eden. Lorsque j'étais entré dans l'église, une heure plus tôt, elle était assise par terre dans un coin sombre, tout près de la porte, à côté de Bijou Sumner. J'étais d'abord passé à quelques mètres d'elle sans la voir, puis, une fois atteint le point de distribution d'eau, alors que je balayais méthodiquement l'endroit du regard, j'avais aperçu le reflet de ses cheveux blonds et la découpe exquise de ses épaules.

J'étais trop loin pour distinguer si elle parlait avec Bijou ou si elle se reposait. Maintenant, je m'en voulais de lui avoir raconté cette histoire : Sumner et moi, on ne s'était pas séparés en bons termes après l'affaire. Elle ne voulait rien entendre. Bon, elle avait tué sa gamine, d'accord. Un coup de folie dans la tête d'une paumée. Il fallait voir d'où

elle sortait ! Moi à l'époque, j'estimais sincè-
rement qu'elle avait droit à une seconde
chance. Évidemment, je savais aussi que ce
procès allait me balancer tous les projecteurs
du pays dans la gueule. Qu'une occasion
pareille, je pourrais l'attendre toute ma vie
avant qu'elle se reproduise. J'en ai passé des
nuits blanches sur son cas ! On avait tout
contre nous, les faits, les apparences, les
témoins et même le juge, une catholique
ultra. Bref, je gagne le procès, Bijou est
acquittée, on lui propose des contrats miro-
bolants, un éditeur, un producteur, une
actrice de premier plan donne son accord
pour interpréter le personnage, et non seulement la fille refuse tout, mais en plus elle me
traite comme si c'était moi, le criminel !

Et pour finir, dix ans plus tard dans cette
église, elle était peut-être occupée à me
calomnier auprès d'Eden.

J'ai pris le verre d'eau que me tendait une
vieille femme. Je commençais à accuser la
fatigue, mais il était hors de question de m'allonger pour m'assoupir : je devais absolument tenir, rester debout et réfléchir à la

manière dont j'allais gérer la suite des événements. C'est en buvant que j'ai eu cette idée lumineuse : j'allais proposer mes services à la distribution de l'eau. Ainsi, j'occuperais une position idéale à la fois pour lutter contre le sommeil et observer Eden. Plus que tout, je redoutais qu'elle disparaisse, qu'elle décide de partir ou qu'on vienne la chercher. Et bien que je n'aie aucun plan précis à son sujet, l'idée de perdre sa trace m'était intolérable.

La vieille femme a accepté mon offre et j'ai commencé à remplir les verres. Au début, tout était simple. J'ai tendu deux ou trois gobelets, ouvert une caisse de bouteilles, vidé une poubelle. Entre deux gestes, je caressais Eden de l'œil. L'église était calme. La plupart des gens dormaient et ceux qui étaient encore éveillés s'appliquaient à chuchoter pour ne pas gêner leurs voisins. Devant moi, une demi-douzaine de personnes attendaient pour boire tandis que, çà et là, d'autres traversaient les travées pour se rendre aux toilettes ou se dégourdir les jambes : je me félicitais de ma tactique, lorsqu'un homme s'est exclamé : « Mais c'est Simon Schwartz !

Le procès Crump ! » Il a avalé son eau d'une traite et s'est dépêché de rejoindre un groupe d'amis pour leur annoncer la nouvelle. Aussitôt, deux ou trois d'entre eux se sont levés et se sont postés dans la file de distribution.

A partir de ce moment, tout s'est compliqué. Les gens se sont mis à me parler, à me poser un tas de questions stupides sur Crump, à donner leur avis sur l'issue du procès, mais surtout, à me demander le mien sur leurs affaires personnelles. Bien entendu, chacun commençait par expliquer qu'il était gêné de m'interroger, que son cas était particulier, qu'il n'en aurait que pour une minute, puis dès qu'il en avait fini avec moi, courait relater sa conversation à un ami, à sa femme ou même à un simple compagnon d'infortune qui se hâtait de venir prendre son tour.

Après une demi-heure sur ce rythme, le prêtre de l'église est venu s'enquérir des motifs de l'attroupement. Je l'ai trouvé bizarre : il me dévisageait d'un air méfiant et en outre, ressemblait plus à un catcheur qu'à un curé. Peut-être qu'il n'aimait pas les célébrités ? Peut-être avait-il lu mon interview, la semaine dernière, dans le *New York Times* ?

Je n'avais pas été tendre avec le clergé lorsqu'on m'avait interrogé sur le scandale des
prêtres pédophiles, alors il valait mieux s'attendre au pire. Mais alors qu'il s'apprêtait
à me parler, une femme a surgi pour me
remercier d'un conseil extorqué quelques
minutes plus tôt, à propos d'une pénible
affaire de succession.

L'expression du prêtre s'est adoucie, tandis que la femme pressait ma main dans la
sienne.

— Je vous remercie pour l'aide que vous
apportez à notre communauté, a-t-il soufflé
en se forçant à être poli.

Puis, sans attendre de réponse, il m'a
tourné le dos. Marrant, l'homme à qui il
parlait n'était autre que mon fournisseur de
Lucky Strike, accompagné d'un jeune Chinois loqueteux. De toute évidence, Léo et le
prêtre se connaissaient. Tant mieux pour
moi : ce type me mettait mal à l'aise, alors
autant qu'il fasse la conversation à un autre.

J'ai repris mon service et mes consulta-
tions, ainsi que ma discrète surveillance
d'Eden. Depuis un moment, Bijou semblait
s'être assoupie sur son épaule, lorsque subite-

ment toutes deux se sont levées et dirigées
vers le fond de l'église – autant dire, vers moi.
Une émotion brutale m'a envahi. J'ai pensé
qu'elles venaient chercher de l'eau, que bientôt Eden me tendrait un de ces gobelets, puis
ce serait le tour de Bijou, or que pourrais-je
dire à l'une et à l'autre ?

Mais elles n'avaient pas soif. Elles ont
rejoint le prêtre, Léo et le Chinois, et ont
entamé un long conciliabule. Je tendais
l'oreille. Hélas, entre les bavardages de mes
clients improvisés et les injonctions de la
vieille femme qui tentait de mettre de l'ordre
dans la file d'attente, il m'était impossible
de capter un seul mot. En revanche, j'ai
aperçu Bijou Sumner se plier brusquement
comme si elle était prise d'écœurement, puis
quelques instants plus tard, alors qu'elle
s'était relevée, c'est Eden qui a trébuché. Je
la voyais à peine, gêné par tous ces gens qui
m'assaillaient de leurs problèmes, mais
durant une seconde, son visage m'est apparu,
blanchâtre, comme privé de son sang. Mon
cœur s'est serré. Elle allait mal, sans aucun
doute. J'aurais aimé me jeter sur elle, la

prendre dans mes bras, la toucher, la soigner, l'embrasser, passer mon doigt sur ses lèvres pâles, la réchauffer de mon souffle, et au lieu de cela, je devais me contenter de remplir des verres.

Bijou l'avait accompagnée jusqu'au banc le plus proche, tandis que le prêtre, Monsieur Lucky Strike et son Chinois disparaissaient dans la sacristie.

J'ai regardé ma montre, machinalement. Il était 2 h 30. J'ai imaginé Jack et Amy dans leur lit, Jack qui termine toujours par-dessus la couette, Amy qui rêve à voix haute et raconte chaque nuit des kilomètres d'histoires inintelligibles : mes gosses chéris, tranquillement endormis tandis que je suis condamné à supporter les marques d'intérêt de mes compagnons d'infortune.

— Merci pour l'eau, monsieur Schwartz, et je voulais vous dire pour Crump, comment sa femme a-t-elle pu témoigner, quand on sait ce qu'on sait : c'est dingue, vous trouvez pas ?

— Je suis si contente de vous rencontrer, monsieur Schwartz. Je vous ai vu à la télévision avec Dan Rather et avec Peter Jennings.

Est-ce que vous pourriez me signer un autographe ?

Les joues blafardes d'Eden. Son regard épuisé. Pourtant, à cette heure-ci, habituellement, elle est en pleine forme : elle pose un pied sur un tabouret, glisse ses mains sur ses seins, tourne la tête vers l'objectif et cligne de l'œil pour faire grimper mon adrénaline. Chaque soir de cette semaine, elle a double-cliqué sur mon nom et j'ai double-cliqué sur le sien. Pression de l'index... *Would you like to view this user's webcam ?*

— Vous êtes bien le vrai Simon Schwartz, monsieur ? Alors vous savez ce qui s'est passé pour Crump avec Betty Broomberg ? Et la villa en Floride, c'était lui ou pas ? Il paraît que c'est un type super-sympa en petit comité. Vous avez dîné chez lui ? La vaisselle en or massif, c'est des ragots ?

Elle est en face de moi, ou presque. J'aimerais arrêter le temps. Que cette panne dure toujours. Qu'elle retrouve ses pommettes roses.

La porte de l'église a claqué, si fort que j'en ai sursauté. Malgré l'heure tardive, des gens continuaient à aller et venir, mais ceux-là veillaient toujours à refermer la porte avec douceur. Or ces deux silhouettes massives qui avançaient à pas lents dans la travée centrale semblaient avoir délibérément signalé leur entrée. Les deux hommes scrutaient les dormeurs avec application, chacun tourné vers un côté de la nef.

J'avais traité peu d'affaires criminelles, mais je savais reconnaître un voyou. Ces gars puaient le truand à plein nez et si j'étais certain d'une chose, c'était qu'ils n'étaient pas là par hasard. Mon intuition me mettait en garde, attention Simon, danger ! Mais elle me commandait aussi de rester calme et de ne rien trahir de mes observations.

Ils ont marqué une pause à mi-parcours, ont échangé quelques mots puis sont repartis en direction du chœur. J'ai arrêté de respirer lorsqu'ils se sont dirigés droit sur Bijou et Eden : en les apercevant, Bijou a bondi du banc, puis a saisi Eden et l'a poussée vers l'arrière pour la protéger. Les deux types étaient presque immobiles. Ils parlaient à voix basse. Soudain, le plus grand a écarté Bijou et attrapé la main d'Eden. Elle a crié : « Laisse-moi ! Non ! Non ! » en se secouant pour se libérer. Mais l'homme lui a tordu le bras, et Eden a glissé sur le sol comme une poupée de chiffon.

— Ne fais pas ça Tony, je ne te laisserai pas faire ça ! a grondé Bijou.

J'ai lâché le verre que j'avais à la main et je me suis avancé. Il venait de se produire en moi une chose surprenante : je n'étais plus Simon Schwartz, l'avocat réputé, je n'étais plus un homme riche et envié, ni un homme du tout d'ailleurs, je n'étais plus qu'une idée, un concept, un objectif, une obsession : sauver Eden.

— Messieurs, ai-je dit de la voix la plus assurée possible. Je crois que vous importunez cette jeune femme.

Ils se sont tournés et m'ont jeté un regard incrédule. Ils étaient bruns, le teint mat, et l'un d'entre eux, mon Dieu, maintenant que je le voyais de près, c'était un vrai barbare, un physique qui se rapprochait plus du taureau que de l'être humain, un cou épais, violacé, des petits yeux mi-féroces, mi-idiots, une véritable caricature. Ah comme j'aurais aimé que Mumia et ses amis soient dans le coin cette nuit ! Mais j'avais beau me trouver dans une église, je ne croyais pas à une intervention divine.

— Cette jeune femme, comme vous dites, est ma nièce. Elle est malade et je viens la chercher pour la ramener chez elle, a rétorqué l'autre homme en détachant avec lourdeur chaque syllabe.

Il a souri, découvrant quatre ou cinq dents en or. Bah, il n'était pas moins patibulaire que l'autre, mais il m'avait répondu : c'était un début. Bijou me fixait avec une perplexité inquiète, tandis qu'Eden, prostrée, semblait partie dans un autre monde. J'étais soucieux pour elle, mais presque optimiste sur l'issue de la conversation : puisque celle-ci était engagée, je me faisais fort d'emporter le morceau en effrayant les deux brutes à l'aide d'arguments juridiques. Je pariais que ces deux-là avaient déjà fait quelques séjours en prison. Avec un peu de chance, ils étaient même en conditionnelle.

— A voir votre nièce, monsieur, on dirait bien qu'elle est majeure. Je suis avocat. Vous n'avez pas le droit de l'emmener contre sa volonté. Je regrette de vous décevoir, mais cette jeune personne restera ici avec moi.

L'homme s'est figé. Autour de nous, quelques personnes s'étaient réveillées, redressées, rapprochées. Un murmure parcourait les bancs les plus proches.

— Bon, ça suffit, connard, a-t-il fait sur un ton métallique. Tu vas dégager de là et fermer ta grande gueule d'avocat de merde.

Puis il a affiché une expression venimeuse :

— Je crois que nous sommes d'accord mon cher ?

Je n'ai pas compris tout de suite. Derrière moi, une femme a poussé un hurlement strident, suivie d'une autre, puis de plusieurs. Des gens se sont dressés un peu partout et se sont mis à courir en tous sens. Maintenant, c'est toute l'église qui s'affolait.

— Non !

J'ai eu le temps de voir Bijou se jeter sur Eden, toujours à terre, recroquevillée.

J'ai eu le temps d'entendre le type brailler, *fuck you mothafucka !* et celui d'apercevoir, l'espace d'un battement de cil, un Chinois surgir et se démultiplier, était-ce une hallucination ?

J'ai eu le temps de songer à Jack et Amy, et à la lumière qui naît de l'obscurité.

Puis j'ai vu ce bras levé et la gueule du canon.

Canal IV

Le prêtre a ouvert ses placards. Les étagères débordaient de vêtements classés par tailles. Des pantalons, des vestes, des T-shirts, des pulls, tous en bon état. Il a fait une sélection qu'il a posée sur la table.

— Les gens d'ici sont très généreux, a-t-il commenté en me tendant un survêtement bleu marine Si généreux que je dois renvoyer chaque mois des cartons pleins aux paroisses voisines. Tiens. Essaie donc ça.

A la boutique, je portais toujours le même pantalon noir et le même T-shirt blanc, fournis en plusieurs exemplaires par la maison. Je les portais aussi la nuit, pour dormir autant que pour m'entraîner au combat. Cela me convenait parfaitement. Une ou deux fois par an, bien sûr, j'enfilais le seul cadeau que le grand-père m'ait fait en vingt-six ans, à l'oc-

casion de la naissance de son premier petit-
fils : une tenue de Kung-Fu d'une étoffe brillante, conforme au style shaolin, avec une
veste à sept boutons et un pantalon resserré
en bas par un élastique. Mais je craignais de
l'abîmer, alors la plupart du temps, je la
conservais pliée sous mon lit.

J'ai fait quelques pas avec le survêtement,
puis quelques mouvements rapides : sauts,
étirements. J'avais besoin de m'assouplir
pour sentir mon corps habiter son nouveau
costume. La veste me serrait légèrement au
niveau des bras : la couture ne tarderait pas
à céder.

— Tu sais, moi aussi, j'ai été sportif, a fait
le père Joaquin d'un ton songeur. Il y a bien
longtemps.

Il a tapoté son ventre rond en soupirant.

— Tout ça s'est transformé en graisse,
hélas...

— Ne va pas croire qu'il était *seulement*
sportif, a ajouté Léo à mon intention. Il était
beaucoup plus que ça.

— Ah ?

— Je te parle d'un temps où tu n'étais pas
né et Joaquin n'était pas prêtre. L'année

1969, pour être exact. Au Vietnam. On s'est connus là-bas.

Son regard s'est enfui et ses traits ont changé, révélant un masque d'amertume.

— Nous n'étions que deux pauvres gars plantés là par hasard. Joaquin se destinait à enseigner le sport, et moi je tenais la comptabilité d'une petite boîte qui fabriquait des cintres. Ils nous ont endormis avec les mêmes mensonges et chacun de notre côté, on est partis en enfer presque joyeux, croyant qu'on allait sauver le monde.

A son tour, le prêtre avait changé d'expression et semblait chercher sa respiration. Les colliers bigarrés s'entrechoquaient doucement sur sa large poitrine.

— Ensuite, oh, Canal, comment t'expliquer... L'horreur qui n'en finit jamais, la trouille, la honte, les rivières de sang et de merde. Jusqu'à cette saloperie d'après-midi et un cadeau explosif lâché du ciel par nos petits camarades. J'aurais dû y laisser ma peau, et plutôt deux fois qu'une : l'air était en feu tout autour de moi. Il fallait être cinglé pour tenter quoi que ce soit, et pourtant Joaquin est venu à mon secours. S'il soulevait cette soutane, tu constaterais les traces de son courage.

Tout ce que je connaissais de la guerre du Vietnam, je l'avais appris en regardant *Platoon*[1] et *The Deer Hunter*[2]. Cela m'avait paru suffisant pour me forger une opinion : je voyais assez bien de quoi parlait Léo.

— S'il n'avait pas déserté, a poursuivi le vieil homme, Joaquin serait couvert de médailles. Mais après m'avoir sauvé la vie, il a refusé de participer au massacre programmé de civils et l'a payé au prix fort.

Un long soupir a filé entre ses lèvres sèches.

— Je n'ai pas eu à faire ce choix : la guerre s'est terminée pour moi sur un lit d'hôpital. J'y ai laissé deux côtes, la moitié d'un poumon et à peu près tout ce que j'avais de peau sur le torse, mais je trouve ça assez correct, compte tenu des circonstances.

---

1. Oliver Stone, 1986.
2. *Voyage au bout de l'enfer*, Michael Cimino, 1978.

— Bon, a coupé le père Joaquin, comme s'il émergeait d'un cauchemar. Assez parlé de cette époque. Revenons au présent, s'il te plaît.

— Oui, revenons plutôt au présent, a répété Léo d'un ton mécanique.

Puisqu'ils se taisaient tous les deux, et parce qu'il fallait bien les aider à quitter leurs souvenirs, j'ai repris mes mouvements. J'avais besoin de retrouver mon énergie vitale, la sentir circuler à nouveau dans chacun de mes organes, me purger des effets de la faim, de la chaleur, de la peur et du manque de sommeil. Je me suis concentré sur des exercices de Qi Gong.

Posture. Fixation du mental. Régulation de la respiration. Lenteur du geste. Maîtrise.

— Tu es magnifique, a ri Léo, rétablissant sur-le-champ une atmosphère détendue. Tout droit sorti d'un film de Hong Kong !

— Eh bien, tu n'as qu'à t'y mettre, toi aussi, s'est moqué gentiment le père Joaquin. Ce n'est pas si difficile : il suffit de te lever à l'aube et de te rendre dans Central Park, ou dans pas mal de squares de la ville. Des gens bien plus vieux que toi s'y entraînent chaque matin.

A peine avait-il terminé sa phrase que des cris d'effroi ont fusé. Dans une même impulsion, nous nous sommes jetés tous les trois sur la porte.

Deux types à la physionomie menaçante, l'un chaussé de bottes en cuir rouge et l'autre affublé d'une chaîne en or plus épaisse que mon pouce, se dressaient dans le chœur, face à Bijou. Naomi gisait à terre, tenant son bras comme s'il était blessé, tandis qu'un troisième homme semblait s'interposer. Partout, des gens s'éloignaient en sautant par-dessus les bancs ou en se pressant parmi les travées. Des mères houspillaient leurs enfants, en larmes d'avoir été réveillés brutalement.

— C'est Naomi ai-je fait, bouleversé.

— C'est Simon Schwartz ! a ajouté Léo, stupéfait.

— C'est ce salopard de Tony avec son âme damnée, a articulé le père Joaquin. Il est venu chercher Naomi. C'est ce qu'on pouvait craindre de pire.

Tony ? Naomi ? J'ai avancé d'un pas, assez près pour apercevoir l'éclat de ses yeux fiévreux, deux points brillants sur un visage au teint cireux.

— Que comptes-tu faire, Canal, a interrogé le prêtre. Ces voyous sont dangereux : tu risquerais ta vie en intervenant. Ne confonds pas bravoure et inconscience.

— La grandeur de la bravoure dépend de la droiture de l'homme, ai-je répliqué. Je croyais pourtant que nous partagions ce point de vue. Je ne me soucie pas de savoir si ma vie sera longue ou courte, mais d'appliquer ce que j'ai appris. Or le Maître nous enseigne que le courage est de faire ce qui est juste.

— Mais tu n'es pas de taille : ils sont sans nul doute armés.

— Le corps et l'esprit sont parfois plus puissants que le feu et l'acier. Le moment est venu d'éprouver la doctrine.

Joaquin et Léo ont échangé un regard résigné. J'ai encore avancé d'un pas. Le fameux Simon Schwartz s'adressait à l'individu aux bottes rouges sans que je puisse entendre quoi que ce soit. Ce que j'ai su aussitôt, en revanche, c'est que l'avocat ne pouvait voir le geste du comparse au collier doré.

Il venait de sortir un revolver de sa poche.

Ma peau s'est hérissée et mon ventre s'est contracté.

— Videz votre esprit, soyez sans forme, sans contour, comme l'eau[1], ai-je murmuré pour moi-même.

— Que dis-tu ? a fait Léo en tendant l'oreille.

Je n'avais pas peur de mourir, seulement d'échouer. J'avais beau maîtriser des centaines de mouvements, je n'avais jusque-là combattu que des adversaires invisibles, nés de mon imagination. J'ignorais tout de la sensation d'une main ou d'un pied s'enfonçant dans les chairs, et surtout, j'ignorais comment échapper à une balle.

Il ne m'a fallu qu'un instant pour décider

---

1 Bruce Lee, *Hong Kong*, 1971.

de la suite et choisir ma technique favorite, celle de *l'homme ivre*. Ne rien mimer, *être* l'ivresse, noyer la peur et lâcher prise.

— Canal ! Reviens ! soufflait ce pauvre Léo de toute la force de ses vieux poumons, ou plutôt, de ce qu'il en restait.

Les deux malfrats n'ont d'abord pas prêté attention à ce garçon titubant qui se glissait derrière eux. Au moment où le type au collier levait son arme vers l'avocat, j'ai dégagé son bras d'un coup sec. Le reste est venu naturellement, comme guidé par une intuition supérieure. Poings, coudes, genoux, l'ivresse n'était plus de mise désormais, je sentais l'air me porter en frappant, j'étais oiseau, insecte, samare, j'étais l'eau et j'épousais le corps de mon ennemi. « *Fuck you mothafucka !!* » a hurlé le bandit.

Mon pied droit a cogné la main qui tenait le revolver : un crissement métallique a envahi le chœur lorsqu'il a heurté le sol.

Il s'en est fallu d'une fraction de seconde pour que je réussisse. Peut-être que j'aurais pu, si j'avais été moins fatigué, mieux échauffé, si seulement j'avais combattu une seule fois en réel.

Peut-être que j'aurais deviné, anticipé ce qui allait se produire. Alors que je tournais encore sur moi-même, mon œil a capté trop tard le geste de l'autre homme, celui aux bottes rouges. Tout allait tellement vite.

La détonation avait déjà éclaté mes tympans lorsque j'ai compris qu'il était armé lui aussi. Chose étrange, une masse indéfinie a obscurci mon champ de vision. Tandis qu'un coup puissant me projetait au sol, enfonçant ma poitrine, une seconde puis une troisième détonation ont résonné dans l'église. J'ai encore eu le temps de voir Bijou qui serrait son amie dans ses bras, et les yeux pâles de Naomi se fixer dans les miens. Aussi étrange que cela puisse paraître, je me suis senti bien.

La mort qui survient une fois le devoir accompli est la volonté de l'univers, me suis-je souvenu.

Puis j'ai glissé dans le noir.

Naomi IV

Le père Joaquin a fait signe qu'on le rejoigne. C'était bien : il fallait bouger, marcher, sans quoi tout ça finirait mal. Je recommençais à transpirer, j'avais froid avec des nausées terribles et des tremblements dans les jambes. Je tenais le coup mais c'était difficile, alors me lever m'a semblé tout à fait indiqué.

Bijou s'était endormie : je l'ai secouée et on est allées retrouver Joaquin. Il était avec le vieil homme et le Chinois croisés tout à l'heure ! Les voir là, ça m'a fait quelque chose d'impossible à décrire, encore plus à expliquer. J'ai pensé aux théories de Bijou qui est obsédée par les signes, les hasards, les coïncidences, et j'ai conclu que j'avais bien fait de sourire lorsqu'ils étaient entrés dans l'église.

Le prêtre voulait nous présenter au vieil

homme. Il s'appelait Léo. Après quelques phrases, j'ai compris que Léo en devait une belle à Joaquin, mais quoi, Joaquin ne l'a pas précisé. Il a demandé au vieux de nous héberger, Bijou et moi, pendant deux ou trois jours. Une de ses cousines pourrait nous accueillir ensuite à Sacramento. Ce n'était que des bonnes nouvelles, mais j'étais trop épuisée pour en profiter. Je pressentais seulement que c'était bon, que la vie allait changer, que les choses rentreraient dans l'ordre avec Bijou. Évidemment, il y avait cette affaire avec son bébé qui me perturbait toujours un peu, mais je ne me sentais pas de taille à juger. Alors j'avais décidé de suivre mon cœur – mon cœur qui me disait de faire confiance et d'aimer Bijou comme je l'avais aimée ces dix dernières années.

Le vieux Léo a donné son accord. Pendant qu'il parlait avec Joaquin, j'ai remarqué l'avocat, occupé un peu plus loin à distribuer de l'eau avec Carmenita. A vrai dire, j'aurais préféré qu'on distribue autre chose dans l'immédiat, mais passons : je faisais des efforts démesurés pour cacher mon état de manque croissant à Bijou, d'autant qu'elle venait à son tour d'apercevoir Schwartz et semblait bouleversée.

J'ai essayé de me concentrer sur des détails, une fissure dans le sol, un missel posé sur un banc, un morceau de vitrail : j'aurais donné beaucoup pour cesser de tortiller ma mèche, grincer des dents ou mordiller mes lèvres, pour simplement cesser d'y penser. C'était si dur.

De temps en temps, je croisais le regard du Chinois. J'aurais aimé lui parler, mais je n'osais pas, et je crois que lui non plus, sans doute effrayé par la blancheur de ma peau et les tics de mon visage.

Il a fallu que le père Joaquin l'interroge pour que j'apprenne les circonstances de son arrivée ici. Il s'appelait Canal. Il a expliqué que son immeuble avait brûlé et qu'il était parti au hasard, parce qu'il n'avait pas de famille. C'était la première fois que je rencontrais une autre personne sans famille. Bien sûr, celle de Bijou ne comptait qu'à moitié, vu les prises de position de ses parents dans le passé. Mais elle existait. Des mauvais parents, ça reste toujours des parents. On peut y penser, les aimer ou les détester, espérer qu'ils changent d'avis, préférer couper les ponts, on peut avoir un tas de sentiments du moment qu'on en a. Tandis que nous les orphelins, on est comme en creux, on a un trou béant au milieu du thorax. C'est peut-être pour ça qu'on s'était plu, Canal et moi, dès le premier regard ? On avait dû se reconnaître, oui, la voilà l'explication. Ou alors, c'était à cause de mon romantisme. Bijou m'a appris la signification de ce mot, il y a longtemps : le romantisme, c'est quand on décore la réalité avec ses rêves. J'ai dû pas mal décorer la réalité depuis quatre heures de l'après-midi.

Donc Canal s'est mis à parler, et ce qui m'a déroutée c'est que je connaissais presque tous les mots qu'il employait, mais malgré cela je ne comprenais pas le dixième de ses phrases. Il ne s'exprimait pas comme les autres. Et plus j'essayais de comprendre, plus j'avais chaud et froid, plus je claquais des dents.

Quand même, je me souviens qu'il a émis cette phrase étonnante : « Je ne suis pas malheureux », et juste après je me suis sentie faible, mal, j'avais besoin de manger, ou alors c'était cette saloperie de caillou qui trouvait un nouveau moyen de me torturer, en tout cas mes jambes se sont transformées en bâtons de caoutchouc, et heureusement que Bijou était là pour m'accompagner jusqu'au banc, sinon je me serais écroulée.

Le père Joaquin a emmené Léo et Canal dans la sacristie. Il était question de lui donner des vêtements propres. Je me suis appuyée contre Bijou, elle a passé sa main dans mes cheveux et je me suis sentie un peu mieux. J'ai fermé les yeux et essayé de plonger, parce qu'on a toujours moins mal quand on dort ; comme si je n'étais pas au courant que cette merde flingue le sommeil, qu'on en prenne ou qu'on en manque, la seule différence étant que c'est agréable dans un cas et terrifiant dans l'autre.

Quelques minutes se sont écoulées, peut-être un quart d'heure. De temps en temps, je soulevais mes paupières et j'observais l'avocat, toujours affairé à la distribution d'eau.

Puis je les refermais et j'essayais d'imaginer

Sacramento, la cousine de Joaquin, la vie en dehors de Brooklyn, mais rien à faire, mon corps refusait de me laisser en paix et les seules images qui me venaient, c'étaient de minuscules étoiles jaunâtres qui dansaient devant mes yeux et me donnaient le tournis.

Bijou s'est penchée sur moi :

— Naomi ? Quelque chose ne va pas ?

J'allais répondre, mais ses doigts ont serré mon poignet à m'écraser les veines. J'ai suivi son regard. Oh, non. Ils étaient là, Tony et Gecko, avec leur tête des très, très mauvais jours.

— Eh bien Naomi, a craché Tony. Comment se fait-il que je te retrouve ici. Tu avais besoin d'un peu de recueillement ?

Recueillement, je ne connaissais pas ce mot. J'ai cherché la réponse dans les yeux de Bijou, mais elle était au bord des larmes et c'est Tony qu'elle regardait.

— Laisse-la partir, Tony. Je trouverai l'argent pour te dédommager. Je ne dirai jamais rien, et elle non plus.

— L'argent, a-t-il ricané. Je crois que tu ne sais pas de quoi tu parles, Bijou. Tu as toujours été libre de tes mouvements. Alors

tu peux bien aller faire la pute sur Internet,
j'en ai rien à foutre. Mais elle, je la reprends.

Internet ? Bijou avait tenté de m'en parler,
il y a longtemps. Pour être franche, je n'avais
rien compris à ses explications. C'était trop
technique pour moi.

— Regarde-la, elle est toute pâle, a ricané
Tony. Elle a besoin d'un remontant, or
figure-toi, j'ai tout ce qu'il faut dans ma
poche.

Il a sorti un petit caillou. La moitié de mon
cerveau s'est mise en vrille tandis que l'autre
cherchait désespérément une solution. Salopard de Tony. Et cette sueur qui coulait sur
mon front, mes bras, mon ventre, qui s'étalait
entre mes jambes, un fleuve, une mer de
sueur.

— Ça te dit ma poupée ? Allez, viens, on
rentre à la maison. Tout ira bien, tu verras.

Je regardais ses bottes rouges et c'est toute
l'église qui prenait cette couleur, même Bijou
qui venait de se placer devant moi, et le caillou qui trônait sur la paume de Tony.

Il a soupiré bruyamment en levant les yeux

au ciel. Puis il a bousculé Bijou et m'a prise par le bras.

— Bon, si tu refuses de te faire plaisir, on va s'y prendre autrement. Fais pas d'histoire, Naomi. J'aimerais pas abîmer ton joli minois.

Je me suis débattue, en vain. Je voyais le reflet de ses dents en or, le fond de sa bouche, le fond de ses yeux et tout ce qui se tramait dans son esprit répugnant, mon Dieu, ce que j'avais peur, j'ai crié :

— Laisse-moi ! Non ! Non !

Mais il a pris mon bras et l'a tordu. Ça m'a fait mal, plus que je pouvais supporter alors je me suis effondrée. Bijou s'est jetée sur cette ordure de Tony et a hurlé qu'elle ne le laisserait pas faire, mais je savais bien comment ça se terminerait : le plus fort, c'était lui, et moi j'allais passer un sale quart d'heure.

J'ai baissé la tête en attendant que ça arrive. Autour de nous, les gens s'étaient réveillés. La plupart s'étaient reculés par prudence et les autres se taisaient en observant la scène. Ils allaient voir comment on corrige une petite pute indocile.

— Messieurs, a fait une voix polie. Je crois que vous importunez cette jeune femme.

L'avocat ! Il se tenait droit, face à Tony, le menton levé, avec sa gueule cassée et son costume bien mis. J'ai eu pitié de lui. Tony allait le réduire en poussière, ou si ce n'était pas Tony, Gecko s'en chargerait. De quoi se mêlait-il ? Il fallait une sacrée dose d'inconscience pour intervenir.

Pourtant, Tony a semblé réfléchir. Il a même tenté une explication à l'amiable en prétendant que j'étais sa nièce, et j'ai eu un moment d'espoir naïf. Un témoin de ce calibre, ça pouvait être ennuyeux ! L'avocat s'est présenté. Il a déclaré que Tony n'avait pas le droit de m'obliger à le suivre et que je resterais avec lui. Au début, Tony le laissait parler : il pensait sûrement qu'à force de le regarder dans les yeux, Schwartz finirait par réaliser quelle bourde il était en train de commettre. Mais non.

Même Bijou, qui détestait l'avocat, a tremblé quand il s'est interposé. Bijou est bien trop bonne pour souhaiter voir son pire ennemi se faire massacrer sous ses yeux.

Tony et Gecko ont échangé un regard, et

ce qu'ils pensaient à ce moment-là ne nécessitait pas de traduction. Tony a suggéré une dernière fois à Schwartz de dégager, pour la forme : Gecko avait déjà sorti son revolver. Je crois que l'avocat a été le seul à ne pas s'en apercevoir. J'ai mis les mains sur ma tête tandis que les gens qui étaient encore là s'enfuyaient en criant. Mon ventre était si douloureux que je n'étais même plus capable de me redresser. Bijou s'est jetée sur moi, Gecko a levé l'arme en direction de l'avocat et là, une chose incroyable s'est produite : Canal, le Chinois, est arrivé comme s'il volait ou qu'il tombait du ciel, la jambe tendue, poussant un cri terrible, et il a frappé, balayé, donné du poing à une vitesse stupéfiante, si bien que Gecko a lâché le revolver et s'est plié en deux en braillant. Il n'y avait plus un Canal mais dix, vingt Canal, tout allait si vite ! L'avocat ouvrait des yeux ronds, perdu au milieu du combat, quand j'ai vu la main de Tony sortir à son tour une arme de sa poche.

Et tirer.

Le temps s'est ralenti. Tout est devenu plus clair : le bras tendu de Tony, puis la balle qui traversait le corps de l'avocat avant de s'enfoncer dans celui de Canal, comme si mon cerveau pouvait décomposer sa trajectoire image par image. A vingt centimètres de ma main, le revolver de Gecko tournait encore sur lui-même. Je l'ai saisi, je me suis agenouillée et j'ai visé. Plus de fatigue, de sueur, de tremblement et de dents qui claquent. Plus de chantage ignoble. Bang ! Bang !

Ces deux gros porcs se sont abattus l'un sur l'autre. Bijou m'a prise dans ses bras.

— Respire, bébé, a-t-elle sangloté. Respire à fond.

A vrai dire, je ne savais plus très bien où j'étais. Il y avait quatre corps allongés autour de moi.

Le père Joaquin s'est précipité sur l'avocat qui gisait dans une mare de sang, les yeux fixés droit vers le ciel. Il a posé ses doigts sur son cou.

— Il va mourir, a-t-il déclaré. Il n'est déjà plus conscient.

— Je ne sais pas pourquoi, il m'appelait Eden, ai-je répondu.

Bijou a redoublé de sanglots, tandis que Joaquin se tournait vers Canal pour l'examiner à son tour. Il a eu un sourire de soulagement.

— Celui-ci est seulement sonné par l'impact. La blessure est superficielle. La plaie est peu profonde et elle est située en dessous de la clavicule. On peut le soigner.

Il s'est retourné.

— Léo ! Va me chercher des linges propres, de l'eau et de l'antiseptique, allez, vite ! Débrouille-toi avec Carmenita.

J'ai remarqué qu'il fronçait les sourcils.

— Regardez-moi ce garçon. Il sourit et il pleure en même temps.

Malgré les larmes qui perlaient sous ses paupières baissées, le visage de Canal exprimait l'apaisement. J'ai pris sa main dans la mienne ; Joaquin et Léo étaient déjà affairés près de Tony et Gecko.

— Ces deux-là sont tout à fait morts, a murmuré Joaquin.

Il s'est tourné vers l'autel, s'est incliné et a prononcé une prière.

Rassurés, les gens étaient revenus en masse. Une petite foule curieuse nous entourait.

Naomi IV

Le prêtre s'est levé et s'est adressé à eux.

— Maintenant, a-t-il dit avec calme, vous allez m'écouter très attentivement. Ensuite, nous prierons.

Epilogue

Elle m'a confié à son réveil qu'elle avait encore fait le même cauchemar.

Cent fois par nuit, elle tire sur ceux qui l'ont fait souffrir.

— Je les ai tués, m'a-t-elle dit. Et je ne paierais rien ?

Je lui ai fait part de cette pensée du Maître : seul l'homme honorable sait aimer et haïr comme il convient.

Elle a souri de ses yeux pâles Elle aime suivre avec moi les enseignements, et j'aime apprendre avec elle ce que j'ignorais de l'amour, de la beauté et du bonheur – à peu près tout.

La nuit de la panne, le père Joaquin a rassemblé les gens dans l'église. Ce qu'il a dit précisément, je n'en sais rien : j'étais évanoui.

Mais les témoignages recueillis le lendemain étaient si flous que la police n'a jamais pu dresser les portraits-robots de la fille blonde et du Chinois.

La télévision et les journaux ont évoqué pendant quelques jours l'assassinat de Simon Schwartz par des voyous notoires, puis un basketteur célèbre s'est fait surprendre en flagrant délit d'adultère et le nom de l'avocat n'a plus intéressé personne.

Naomi et moi vivons désormais chez Léo, le bienveillant.

Bijou s'est installée près d'ici et s'apprête à ouvrir un *deli* qu'elle a baptisé « les Quatre Vérités ».

En attendant ce jour, nous marchons côte à côte dans la ville, en silence.

Composition et mise en page

NORD COMPO
m u l t i m é d i a

Achevé d'imprimer sur les presses de

BUSSIÈRE

GROUPE CPI

à Saint-Amand-Montrond (Cher)
en mars 2006

Nᵒ d'Édition : 14334. — Nᵒ d'Impression : 061292/4.
Première édition : dépôt légal : décembre 2005.
Nouveau tirage : dépôt légal : mars 2006.

Imprimé en France

ISBN : 2-246-69461-2